コミュニティ・オーガナイジング

ほしい未来をみんなで創る5つのステップ

鎌田華乃子

英治出版

はじめに

この本は、世の中のできごとに「何かがおかしい」と思ったり、暮らしている地域の問題に気づいたり、今の日本社会や政治の状況にもやもやしたものを感じたりしている人に、少しでも、その状況を変えられるかもしれない、と思ってもらうために書きました。

辛い状況に直面している人や、そういう人を横で見ている人が、「仕方がない」と諦めてしまうのではなく、「仕方がある」ことを知り、小さな行動を起こそうと思える。「変えられるよ」と勇気づけたい相手や、「一緒に変えよう」と呼びかけたい相手に、「この本読んでみて」と手渡して、仲間を増やしたり、行動したりできる。そんなきっかけになればと考え、書きました。

「社会を変える」なんて、自分には無理だと感じる人も多いと思います。でもこの本は、そういう人にも役立つことを目指して書きました。ごく普通の人たち、これまで政治や政策はもちろん、地域活動や組織運営などに携わったことのない人たちでも、身近なところから、一人の相手にストーリーを語ることから始めて、変化を起こしていける方法があるのです。

それが「コミュニティ・オーガナイジング」です。一言で表現すれば、「仲間を集め、その輪を広げ、多くの人々が共に行動することで社会変化を起こすこと」。

人々が共に行動して社会を変えると言うと、デモや署名を連想する人もいるかもしれませんが、そうした特定の行為を意味するものではありません。コミュニティ・オーガナイジングは幅広い分野で使える変化の起こし方・考え方であり、取り組む課題に応じてさまざまなアクションをとることになります。

実はコミュニティ・オーガナイジングは最近開発されたものではありません。人々が力を合わせて社会を変えてきた歴史は古く、本編で触れますが日本にもその歴史は脈々とあります。コミュニティ・オーガナイジングは、世界中の人々が昔から草の根で行ってきた「社会の変え方」を、理論的・体系的に学べるようにしたものと言えます。

この手法はアメリカを中心に各国でＮＰＯが中心となり広めていますが、教育機関でも教えられており、ハーバード大学などでも教えられています。選挙運動に取り入れられることもあり、初の黒人大統領を生み出したオバマ・キャンペーンがひとつの成功事例です。

なぜ、コミュニティ・オーガナイジングの本を出そうと思ったのか。それは、これからの日本社会ではたくさんの「行動する人」が絶対的に必要になる、と痛烈に感じているからです。

私たちには現在、さまざまな課題が突きつけられています。子どもの貧困、介護の負荷、待機児童など子育てしながら働く困難、女性や障がい者やＬＧＢＴＱの権利、正規社員と非正規社員の格差、移民や民族的マイノリティの排斥……どうすれば解決できるのか、圧倒されてしまいそうです。また、ニュースで見聞きするような課題だけでなく、身近なところでも、危ない場所や、不都合な制度や、問題に直面している人の存在に気づくことがあるかもしれません。自分の置かれている状況は自分のせいだ（貧困なのは努力が足りないからなど）と思ってしまう人も多いと思いますが、個人的な困難は多くの場合、社会や制度のひずみから生まれています。そんな状況に対して、私たちには何ができるでしょうか。

「何もできない、仕方がないよ」

果たして、本当に、そうなのでしょうか？

自分の人生は自分の選択と行動で形づくられるように、自分たちの暮らす社会もまた、自分たちの選択と行動で形づくられるものです。つまり、「私たちが考えて行動することで解決できる」のです。これからの日本にますます必要となるのが、この「自分たちが考え、行動して解決する」という気持ちと、そのための効果的な手法ではないでしょうか。

私は十年前、会社で本当にやりたいことではない仕事のために長時間働きつづけ、ずっとこういう生活をするのかと思うと夢も希望もないな、と感じる日々を送っていました。そんなとき、あるきっかけを通じて、いわゆる市民社会、すなわちNPOや社会運動というものが、私たちが日頃抱えている思いを社会の課題として拾い上げ、政府や企業をはじめさまざまなステークホルダーが問題解決に関わる流れを作っていることに気づきました。

「仕方がない」と諦めるのではなく、「社会は自分たちで変えられる」と思えたら。多くの困難があっても、私たちは変えてきたし、これからも変えていけるんだと思えたら、なんて素晴らしいんだろう。そう思えたら、希望のある社会になると思いませんか？

私は一念発起して、市民参加型の政策決定を学ぶためにアメリカに留学し、そこでコミュニティ・オーガナイジングに出会いました。

仲間を集め、その輪を広げ、多くの人々が共に行動することで社会変化を起こせる。人は誰でも変化を起こすために行動できるし、そのために成長していける。大学の授業とその後の地域団体での実践を通して、私はそのことを知り、体感しました。そして、このコミュニティ・オーガナイジングを日本社会にも広めていかなければならないと思ったのです。その思いの先に生まれたのがこの本です。

この本の構成を説明しておきます。まず序章では、一見「仕方がない」と諦めがちでも実は「仕方がある」こと、現に日本でもごく普通の人たちが社会を変えてきた例がたくさんあること、それなのになぜ諦めてしまう風潮があるのか、そしてうまく変化を起こす上で必要なことについて考えます。続くパートⅠの第1章から第6章では、仲間と共に変化を起こすコミュニティ・オーガナイジングの全体像を、架空のストーリーを軸にして語っていきます。小学生を主人公にしたストーリーを用いることで、理論的なこともわかりやすく説明しながら、みなさんにコミュニティ・オーガナイジングの一連のプロセスを疑似体験していただくことを目指しています。パートⅡの第7章から第9章では、地域行事から法改正まで、さまざまな分野でコミュニティ・オーガナイジングを使って変化が生み出された国内外の実際の事例を紹介します。当事者たちの話を通して、読者のみなさん自身が行動を起こすイメージを持ってもらえたらと考えています。

コミュニティ・オーガナイジングは「探求」でもあります。私は四年ほど日本でコミュニティ・オーガナイジングを広げる活動をした後に、もっと研究したい、探求したいと思い、日本での活動を継続しつつ、現在アメリカの大学の社会学博士課程で研究をしています。しかし、探求のために、私のように研究することが必要だと言っているのではありません。コミュニティ・オーガナイジングとは行動です。行動し、そこから学ぶことで、あなた自身のコミュニティ・オーガナイジングを探求していくことができるのです。その探求は自分自身への理解を深め、他者への理解を深め、社会への理解を深めさせてくれます。「飽くなき探求の旅」を、本書から一歩ずつ始めていただけたら幸いです。

PART I METHOD
変革の起こし方

第4章 チーム構築

第5章 戦略作り

第6章
アクション
リーダーシップを育てる

第7章 人々の力を引き出す

第8章 身近なことから変化を起こす

第9章 政治を動かし、法を変える

序章

「仕方がない」から「仕方がある」へ

社会なんて変えられない?

「仕方がない……」何気なく口にする言葉ですが、日本では社会のことについて特にそう思っている人が多いようです。

内閣府の調査によれば、「私の参加により、変えてほしい社会現象が少し変えられるかもしれない」という項目に「そう思う」と答えた日本の中高生は三二・五%。アメリカの中高生は六三・一%、ドイツは五一・一%です(1)。

若者が、自分の参加によって社会を変えられるとは思えない。日本は「変えられない、仕方がない」国、そういう空気がある国なのかもしれません。

本当でしょうか。日本はそんなに希望のない国なのでしょうか。

実は「仕方がある」らしい

環境問題について考えてみましょう。日本は環境パフォーマンス指数で世界一二位に入る環境先進国として世界的にも知られており(2)、私たちは綺麗な水や空気を当たり前のように享受しています。

しかし、一九五〇年代〜六〇年代の高度経済成長期には、環境保護への関心は低く、工業活動と経済発展が優先されていました。そのため水俣病や四日市ぜんそくをはじめ、さまざまな公害、自然破壊が日本各地で起こったのです。この問題に政府や企業が対応するようになったのは、公害の被害者やその支援者たちが訴訟を起こし、社会に訴えて、「なんとかしなければならない」という気運を作ったからでした。全国に広がった運動の結果、一九七〇年の国会で一四もの公害関連法案が通りました。一般の人々の行動によって政治が動いたのです。

同じ年、ある主婦が「カラーテレビはどの店でもいつも割り引きで売られている。本当の価格はいくら?」と疑問をもちました。アメリカでは日本製のカラーテレビが安すぎると問題視されていた頃のことです。実はメーカーは、カラーテレビへの切り替え需要が旺盛な国内では高くても売れると見込み、海外向けよりもずっと高い価格を設定していたのです。それを知った主婦たちの怒りが爆発。「適正な価格で買えるようになるまでボイコットしよう」という呼びかけが始まりました。当初はこの動きを軽んじていた電機会社でしたが、ボイコットは全国に広がり、業績に影響が出てきました。そして約半年後、松下電器やシャープといった大企業が大幅な値下げに踏み切ったのです。

「仕方がある」「変えられる」のは過去の話ではありません。現代にもあります。

LGBTQ、性的マイノリティという言葉は少し前の日本ではよく知られていませんでした。アメリカでも同じでしたが、一九六九年にニューヨークのゲイバーに警察の手入れがあったことをきっかけに、LGBTQの人たちが「私にはPRIDE（誇り）がある」とデモ行進をはじめました。日本でも一九九四年八月に最初のプライド・パレードが行われ、約一〇〇〇人が新宿中央公園から渋谷・宮下公園まで、多様性を表すレインボーフラッグを掲げて行進しました。二〇一一年に現在の「東京レインボープライド」の形になり、二〇一九年には一万人以上がパレードに参加。イベント全体の総動員数はなんと二〇万人になりました（主催者発表）。LGBTQに限らず多くの人が参加する、ゴールデンウイークの大きなイベントの一つに成長したのです。

「パレードで何が変わるの？」と思われるかもしれませんが、「いないことになっている」人たちが、「私はここにいるよ！」と社会に訴える、そして誰しもが「そのままの自分でいい」と自分を認めることができる機会になっています。パレードのおかげでLGBTという言葉が日本で広く使われるようになったと言っても過言ではないでしょう。

もう一つ最近の事例で挙げたいのは「子どもの貧困問題」への取り組みです。スラム街など目に見える貧困がない現代日本で、「貧困」は見えにくくなっています。また、現代日本の貧困は絶対的貧困ではなく相対的貧困(3)で、食べるものがないほど貧困な世帯はほとんどなく、生活困窮による家庭環境の問題なのです。栄養のあるものを食べられない、金銭的に習い事や塾にいけない、進学を断念する子どもたちがたくさんいますが、見た目が変わらないため、その困難さに気づかれません。それを「貧困問題は身近にある」と示してくれたのが、全国に広がる「こども食堂」でした。

こども食堂とは、一人でご飯を食べていたり、栄養のあるご飯を食べられずにいる子どもに手作りの食事を提供するものです。週に一回から月に数回の頻度で主に一般市民ボランティアの人たちの手で担われています。二〇一二年に東京都大田区にある「気まぐれ八百屋だんだん」の店主、近藤博子さんが始めたのが最初でした。[4] それがまたたく間に全国に広がったのです。こども食堂の数は、二〇一九年には全国で三七一八か所になりました。[5] 全国に約二万ある小学校の五分の一弱です。本当に支援が必要な子どもが来ない、真の意味で貧困対策になっていない、等の指摘もあります。しかしこども食堂の広がりが、全国に子どもの貧困の存在を知らしめたのは確かです。社会課題は社会の注目が集まるからこそ解決に向かって動き出せます。政府や自治体が市民社会と一緒に取り組み、貧困対策は近年進んできました。

そして二〇二〇年には、新型コロナウイルスの感染が拡大する中で、若い世代が活発に動きました。高校生が休校を要請するためにネット署名を行って休校が決定したり、意見表明や署名だけでは聞き入れられなかったところでは高校生が登校をボイコットし、県が休校を表明したりしたのです。感染拡大が深刻になり始めた二〇二〇年四月下旬で、ネット署名の活動は二〇〇も立ち上がったそうです。[6] 今、日本でも「仕方がない」と諦めるのではなく、自ら動いて社会を変えていこうとする人が、若い世代を中心に増えていると感じます。

「日本人は声を上げるのが苦手」は本当か

人々が声を上げることで、社会を変えられる。その実例は確かにあります。でも多くの人は、世の中のおかしなことを見ないように、感じないように生きているのかもしれません。そのほうが一見楽に生活できるように見えます。世の中に疑問や不満があっても変えられる気がせず、「声を上げるなんて無理！」と思うのではないでしょうか。

日本では目立つことをすると白い目で見られる。他人と違うことをすると、のけものになる。そんなことがよく言われてきました。「和を尊ぶ文化だから」「農村文化だから」など、声を上げるのが難しい理由には事欠きません。

本当でしょうか。私たちはそもそも声を上げるのが苦手なのでしょうか。

そんなことはなさそうです。私たちは「一揆」を歴史の授業で習ってきたと思います。みなさんは「一揆」にどんなイメージを持っていますか？　農民が鎌や斧を持って領主を襲うイメージでしょうか。私も以前はそう思っていました。

しかし調べてみると、面白いことがわかりました。そもそも「一揆」とは民衆による暴力をさすものではなく、「ばらばらの個人をある目的のために一体にし、動く集団」を意味します。つまりたくさんの人と立ち上がって行動することを「一揆」とよぶのです。一四世紀から一六世紀（鎌倉時代〜戦国時代）は「一揆の時代」とも言われているそうで、日本全国で数多くの一揆が起こりました。

たとえば、こんな状況で一揆は起こりました。ある日突然、領主が年貢を引き上げると言い出したのです。それは領主がぜいたく好きで新しい屋敷を建てたいから。でも村ではここ数年、洪水、火山の噴火、日照りなどの天災が続き、農民たちは自分たちの食べるものも殆どない状況です。彼らは怒ります。「もう黙っていられねえ！　おらたちの暮らしの苦しさも知らず年貢を上げるなんてとんでもねえ！」

しかし、権力を持つ領主に対して行動を起こすのは、とても勇気がいることです。人々は寄り合いを開き、みんなで一緒に行動しようと決意します。一揆のはじまりです。彼らは神社に集まりました。「領主様に逆らうのは怖いけど、神様になったつもりでやるべ」。みんなで一体になれるように、全員が署名した誓約書を書き、それを焼いて浸した水を全員で回し飲みました。そして蓑や笠を被り、いつもの自分と違う存在、神様になったつもりで行動を起こしたのです。

一揆と言っても、暴力的に襲うばかりではありません。全員で領主の家へおしかけて訴える、農作業をボイコットする、全員で村から逃げる、などさまざまな戦略、戦術を状況に応じてとったのです。農民に逃げられたら領主も困ってしまいます。一揆を受けて為政者が重税をとりやめたり、借金に苦しむ人々への救済措置をとったりした事例がたくさん記録されています。

一揆は単なる暴動とは異なり、その時代の人々による政治参加の方法だったと言えるでしょう。そこにはさまざまな「作法」も見られます。たとえば一揆の後でリーダーが捕らえられ死刑にされることが多くあったため、誰がリーダーかわからないように誓約書に円形に署名する方法が生まれました（**図0・1**）。リーダーが殺されたらその家族の面倒は村民全体で見るという誓約書も書いたりしました。そういうリスクがある一揆だったにもかかわらず江戸時代には六八八九件の一揆があり、年間平均して二五の一揆がありました[7]。

現代ではあまり聞かれなくなりましたが、日本各地では一揆を起こした人たちがヒーローとして語り継がれていました[8]。そして一揆は、悪政を正すもの、必要なものとして社会的に認められ、明治時代まで脈々と続いたのです。

自由な現代社会で声が上げづらいのはなぜか

しかし、ここで疑問が湧きます。一揆が盛んだった時代と違って、今は民主主義の世の中で、発言する自由が保障されています。なのに、なぜ私たちは声を上げづらいと感じるのでしょうか。先に挙げた環境問題やカラーテレビの価格問題以外にも一九五〇、六〇年代ぐらいまでは大きな市民運動がたくさんあったようです。現代の方が声を上げづらくなっているのでしょうか？

実際に、声を上げることへの抵抗がここ最近強まっていることがデータからわかります。NHKの「日本人の意識」調査（二〇一八年）[9]で、「自分の近所で公害問題が起きたらどうしますか？」という問いに対し、「あまり波風を立てずに解決されることが望ましいから、しばら

図 0.1 一揆で用いられた「傘連判状」（出典：大網白里市デジタル博物館）

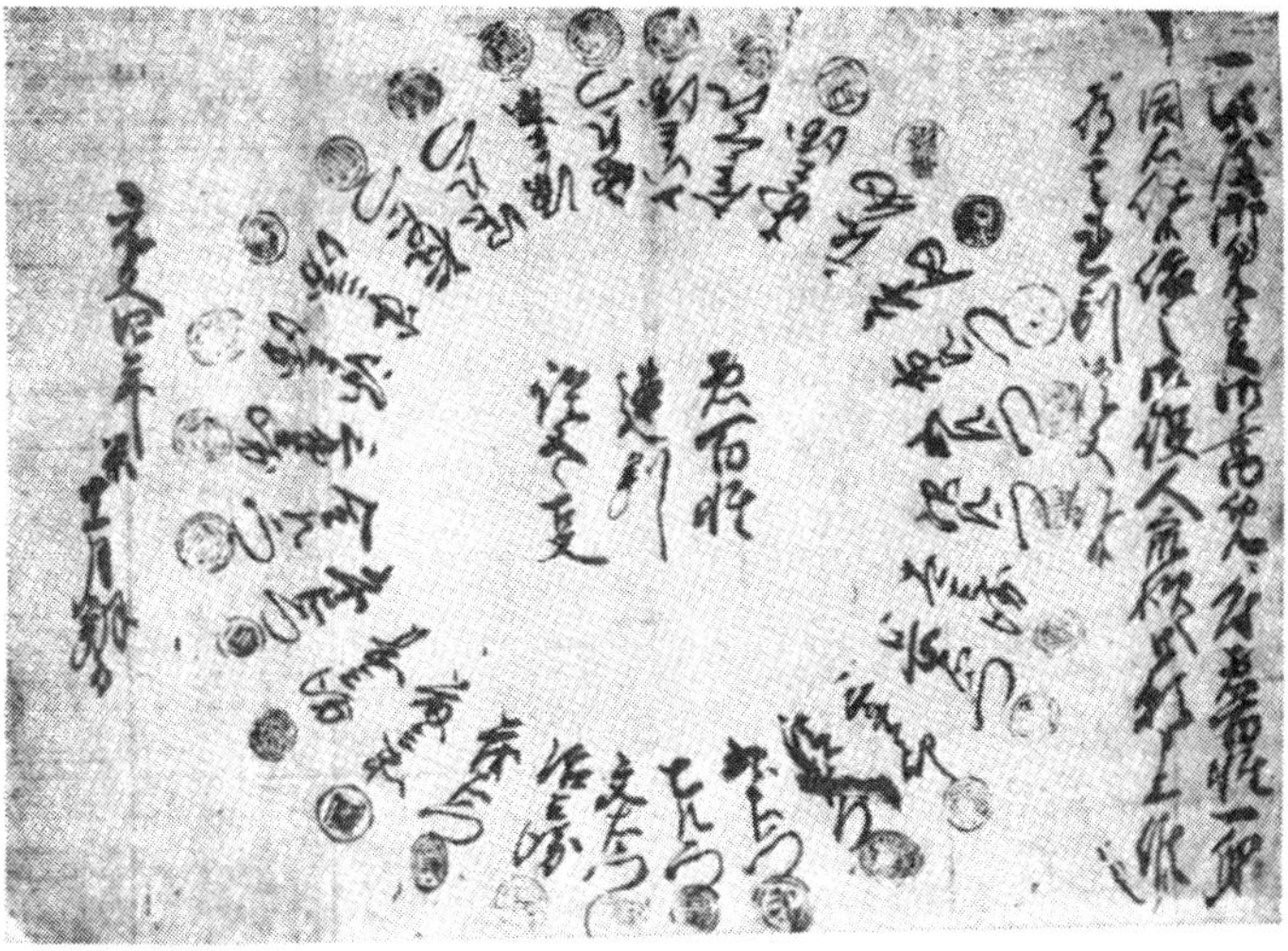

く事態を見守る」と答えた人は一九七三年に二三・二%でしたが、二〇一八年には三七・五%と行動しない人が増えています。「この地域の有力者、議員や役所に頼んで、解決をはかってもらう」は三六・三%から四六・二%に増加。「みんなで住民運動を起こし、問題を解決するために活動する」という人は、一九七三年は三五・八%でしたが、二〇一八年には一三・二%と劇的に減っています(図0・2)。身近な課題の解決に向けて動く人が減っているのです。また、過去一年ぐらいの間に政治の問題についてどんな行動をしたことがあるかという問いについて、デモに参加したことのある人は四%から〇・六%に減っています。署名をした人は二四・四%から一〇・七%に、献金をした人は一四・二%から四・六%に下がりました(図0・3)。

日本の歴史を調べれば、戦前も戦後も、民主的な政治を求めて多くの人がデモをしたり、劣悪な条件で働く人たちが立ち上がって労働条件を変えたり、女性たちが就職や雇用条件で受ける差別をなくすために行動したりと、たくさんの事例が見つかります。人々の力で社会を変えてきた歴史はあるのに、なぜ私たちは「社会を自分たちで変えられる」とあまり思えていないのでしょうか。なぜ声を上げにくいと感じているのでしょうか。

不思議に思った私は旅に出ました。私たちがほしい未来のために行動できる社会、行動したいと思える社会を作るにはどうすればいいかを知る旅に。

図 0.2 地域で公害問題が起きたらどうするか（NHK「日本人の意識」調査）

1. あまり波風を立てずに解決されることが望ましいから、しばらく事態を見守る（静観）
2. この地域の有力者、議員や役所に頼んで、解決をはかってもらう（依頼）
3. みんなで住民運動を起こし、問題を解決するために活動する（活動）
4. その他
5. わからない、無回答（DK/NA）

年	1973	1978	1983	1988	1993	1998	2003	2008	2013	2018
静観	23.2	31.1	32.6	32.9	33.1	31.5	28.5	31.1	36.7	37.5
依頼	36.3	37.0	38.1	38.5	35.3	36.1	42.2	43.5	44.5	46.2
活動	35.8	28.2	26.4	24.8	26.5	29.1	25.5	21.8	15.9	13.2
その他	0.0	0.1	0.2	0.3	0.4	0.2	0.1	0.2	0.3	0.1
DK/NA	4.7	3.7	2.7	3.5	4.7	3.1	3.7	3.4	2.6	2.9

図 0.3 過去１年間に政治問題についてしたことがある行動（NHK「日本人の意識」調査）

ア . デモに参加した　イ . 署名運動に協力した　ウ . マスコミに投書した
エ . 陳情や抗議、請願した　オ . 献金・カンパした　カ . 集会や会合に出席した
キ . 政党・団体の新聞や雑誌を買って読んだ　ク . 政党・団体の一員として活動した
ケ . 特に何もしなかった　コ . その他　サ . 無回答　（複数回答）

年	1973	1978	1983	1988	1993	1998	2003	2008	2013	2018
デモ	4.0	3.5	2.4	1.8	0.7	0.9	0.7	0.6	0.6	0.6
署名	24.4	25.1	29.6	32.0	21.2	24.5	21.6	18.5	16.4	10.7
投書	0.8	0.7	0.7	0.6	0.4	0.6	0.5	0.4	0.5	0.3
陳情	4.5	4.4	4.4	3.8	2.4	2.1	2.2	1.4	1.3	0.9
献金	14.2	13.4	14.5	12.8	9.0	9.3	7.4	8.2	8.5	4.6
集会出席	12.6	12.2	17.2	13.7	12.1	9.5	11.4	8.3	7.3	5.2
機関紙購読	11.0	8.8	9.9	7.6	6.0	5.5	4.7	4.0	4.5	2.9
党員活動	3.1	2.6	4.4	2.9	2.5	1.9	2.2	1.8	1.9	1.1
なし	60.1	60.6	55.5	54.9	63.7	64.6	65.4	69.1	71.5	80.8
その他	0.0	0.1	0.1	0.1	0.2	0.1	0.2	0.2	0.3	0.0
無回答	2.1	2.3	1.2	2.3	2.9	1.9	2.2	3.0	1.6	1.2

ハーバードで学んだ「社会の変え方」

なぜ私はそんな旅に出ることにしたのか。私の話をします。

大切な木が奪われた

私は両親と弟の四人家族で育ちました。幼い頃よくやったのが木登りです。近所に木が生い茂る公園がありました。運動が苦手、でも痩せて小さくて身軽だった私は他の子よりも高い場所に登れて、それが自慢でした。いつでも優しく受け入れてくれる木は大事な友達のような存在で、中でも一番大きな木がお気に入り。当時、母が病気がちで不安を感じていた私に、大好きな木は安心して自分らしくいられる場所をくれました。

しかし私が八歳のとき、公園に工事が入りました。ちょうど地域は宅地開発の真っ最中で、その一環でたくさんの木が切られ、アスレチック遊具が設置されたのです。工事の終わった公園に行くと、私の大好きな木もなくなっていました。

友達のような木を奪われた私は悲しみ、怒りました。「大人はなぜ毎日公園で遊んでいる子どもたちの意見を聞かずに勝手に変えたのだろう」と思いました。そして「自分も大人になれば決められるのかな」と考え、将来は環境や社会を守る職業に就きたいと思うようになりました。

自分で変えるって楽しい

「何かを自分の意志で変えることって気持ちがいい」ということを初めて経験したのは、木を失った翌年、九歳の時でした。

ある日小学校で、絵の具箱を全員買うようにと、先生からカタログの入った注文用の封筒を渡されました。「女の子は赤、男の子は緑色の絵の具箱です」と先生は言いました。私は落胆しました。もともと赤は好きな色ではなく、カタログで見た赤い絵の具箱には全く惹かれなかったのです。家に帰って母親にぐちをこぼしました。「赤の絵の具箱はださい。緑のがほしい」。すると母親が「じゃあ、緑を買えばいいじゃない。先生に聞いてごらん」と言ったのです。

私は「先生が男は緑、女は赤と言ってたし……」と迷いましたが、翌日勇気を出して言ってみました。朝礼後にどきどきしながら先生のところに駆け寄り「先生、緑の絵の具箱が買いたいです」と言うと、先生は「あ、いいよ」と二つ返事でした。

ルールだと思っていたことが、自分の意志を伝えることで変わり、びっくりしました。女の子で一人だけ緑の絵の具箱を持っていると友達から何か言われるかな、と心配でしたが、それも図工の時間に前の席の子が「あ、かんちゃんの絵の具箱は緑なんだね」と言っただけで終わりでした。

高校時代の出来事も忘れられません。私が通った高校は神奈川県内でも自由な学校として知られる希望ヶ丘高校。一九六〇年代には学生運動の影響でテストや成績表が廃止された過去があり（やがて復活）、生徒が自ら考え自ら行動することを大事にする学校でした。高校一年の中間テストが近づく中、国語の先生の発言に驚かされました。「成績をつけるため期末テストは必ず行いますが、中間テストをするかどうか、みなさんで話し合って決めてください」と言い残して、教室を去ってしまったのです。クラスメイト全員で中間テストをする利点、欠点を挙げて話し合い、最終的には投票をして決めました。結果は覚えていませんが、「自分たちのことを話し合って決められるのは気分がいい！」と興奮したのを今でも覚えています。

子どもだから力がないのではない

環境問題について勉強するため農学部の農芸化学科で学びましたが、就職氷河期だったため環境関係の仕事に就くのは難しく、商社に就職しました。四年後、子どもの頃からの夢を叶えようと、環境コンサルタントの仕事に二六歳で転職しました。

仕事をする中で驚くことがありました。ちょうど同時期に同じような内容の環境保護の法律がヨーロッパ、北米、日本で検討されていて、私はコンサルタントとして検討状況を分析して日本政府や企業に伝える仕事をしていました。欧州ではＮＧＯが提案した法案を元に検討が行われ、ＮＧＯが議論に大きく影響を与えていました。また欧州政府も一般市民の見方を知るためにパブリックコメント・ヒアリングを積極的に行い、わかりやすく法案を解説したり、答えやすいように質問を設定したりしていました。北米でもＮＧＯが主要な政策を作るメンバーになっていました。

一方で、日本では官僚が法案を作り、パブリックコメントは募集するものの法案の解説はほとんどなく、ただコメントを型どおり募集するのみです。新しい法律を検討する政府の審議会を傍聴したときは、欧米とのあまりの違いにショックを受けました。審議会のメンバーは大学教授などの専門家に加えてＮＧＯ関係者も少し参加していましたが、それぞれ言いたいことを言うだけです。議論を交わして法案を固めていくという感じではありません。どのような方向で法案をまとめるか予め決まっているように見えました。実際、その結果できた法律は、欧州や米国の同等の法律と比べると新しさのないものでした。

私は唖然としました。国によってこうも法律の作り方が違うのだと。そして政策決定に市民が参加するかどうかによって、できるものが大きく違ってくるのだと。

子どもの頃、毎日公園を使う私たちの意見を聞かずに大人が公園の工事をしたのは、子どもだから無視されたのかと思いました。しかし、そうではなく、現代の日本社会がそういう構造であることに気づきました。逆に当事者である市民が声を上げることを尊重し、意見をしっかり聞いて意思決定する国もあることを知ったのです。

欧州でＮＧＯが提案した環境法案は、人々や自然を守ることが主眼になっていました。ＮＧＯ

が、普通の人たちが考えることを反映して法案を提案するのです。それまで私は、法案を作るのは政治家の仕事だと思っていました。もちろんそうあるべきだと思いますが、外交や経済など多様な課題を扱う政治家に一つ一つの社会課題について一般の人々の声を詳しく聞く時間はありません。それをするのが、市民が作る組織であり、「市民社会」なのだと知りました。欧州や米国では一つの市民組織に何万という会員がいて、人々の会費や寄付で運営されています。普通の人々を代表する組織として社会的に認められているのです。

私は日本に閉塞感を覚えていました。経済もかつてほど成長しない、少子高齢化で将来自分の生活がどうなるかもわからず、明るい未来が見通せない。でも、自分たちで未来を作っていけると思えたら、希望が持てるのではないか。そのためには市民参加を強くすることが日本に必要だと考えました。

市民参加について学べる場所を探しましたが、当時日本には市民参加を学べるような大学院はありませんでした。知人からは市民参加に強い海外の大学院への留学を勧められました。友人に背中を押され、いくつかの大学院に出願。幸い、調べた中で最も自分の関心に合っていると思った、民主主義に重きをおく公共政策大学院ハーバード・ケネディスクールで学ぶ機会を得ました。二〇一一年のことです。

ハーバード・ケネディスクールは世界各地から政策立案に関わる人たちが来て学ぶ場です。政府関係者だけでなく、NPOで働く人、ビジネスパーソン、弁護士、医師、社会活動家、さらに独裁国家でクーデターを起こして政府に追われている人など、さまざまなバックグラウンドの人が学んでいました。

ガンツ先生が教える草の根社会運動

さまざまな授業を受け、行政主催のパブリックミーティングを企画運営するNGOへの訪問なども行いましたが、手応えは今一つでした。そんなとき、他の学生や教授たちに「日本の市民参加を強めるために学びたい」と話すと、みんな同じことを言いました。「マーシャル・ガンツ先生の授業を取りなさい」

私はアドバイスに従い、二学期目にガンツ先生の授業を取りました。ガンツ先生は二〇年以上、現場で「コミュニティ・オーガナイザー」として実践してきた人です。人々の間につながりを作り、リーダーシップを育て、共に行動することで社会的な変化を生み出す。それを「コミュニティ・オーガナイジング」と呼んでいます。

ガンツ先生は一九六四年にハーバード大学を中退し、公民権運動に参画。白人学生をアラバマ州など黒人差別がひどい地域に派遣し、黒人のコミュニティに働きかける動きに加わったのです。黒人の人たち一人ひとりに話しかけ、投票権を得るための運動に参加するよう勇気づけました。二年後、故郷のカリフォルニア州に戻り、そこでメキシコやフィリピンから移民してきた農場労働者の悲惨な境遇を知ります。その頃、シーザー・チャベスという活動家が、農場労働者をオーガナイズする組織ユナイテッド・ファームワーカーズ（ＵＦＷ）を立ち上げ、ガンツ先生はそこにオーガナイザーとして加わりました。ＵＦＷはそれまで頻繁に農場を移動するために組織化が困難だった農場労働者につながりをつくり、組合員を増やし、その組合員と共に時給アップや休暇を勝ち取りました。特に約一〇〇〇人の農場労働者と共にカリフォルニア州のデラノからサクラメントまで約四〇〇キロメートルを行進したのは有名なアクションです。多くの農場労働者がメキシコ人だったため、その文化からデモ行進というより「巡礼の旅」と呼びました。この行動の結果、多くの市民からも賛同を得て、労働条件向上だけでなく、労働組合の存在に反対する雇用主に組合を認めさせることができました。

ガンツ先生はＵＦＷで一六年間オーガナイザー、理事として活動した後は、草の根の選挙キャンペーンの立ち上げに従事します。しかし四八歳の時に自身の活動に行き詰まりを感じ、大学に戻って学び直すことにしたのです。ハーバードで博士課程まで学び、さまざまな運動を分析し、運動に必要な要素をリーダーシップとして誰でも学べるように体系化したのです。

一躍彼の名が知れ渡ったのが、オバマ元大統領の初めての選挙キャンペーンでした。教え子がキャンペーンに関わっており、「黒人初の大統領を生み出すチャンスだ」と声を掛け、ガンツ先生は選挙キャンペーンに本格的にコミュニティ・オーガナイジングを導入しました。コミュニティ・オーガナイジングに必要なリーダーシップを短期間で学ぶワークショップ「キャンプオバマ」を開発。特に激戦区では、地元住民の持つ人脈を通じてリーダーをリクルートし、リーダーらがまた自分の人脈からボランティアを集めて戸別訪問や電話をする草の根戦術を展開。米国初の黒人大統領を誕生させる力を生み出しました。

ガンツ先生の授業では、学生たちは実際にコミュニティ・オーガナイジングのプロジェクトを行わなければなりません。クラスメイトと一緒にやるのは禁止です。一人でまず動き、コアチームに入ってくれる人を探し出し、変えるためのアクションを取ります。ガンツ先生とティーチング・フェローというサブの講師が受講生をフォローし、どんどん行動するように仕向けられます。

社会に働きかけるアクションなど起こしたことがなく、英語も不自由な私は面食らいました。周りの学生たちは思い思いのプロジェクトに取り組んでいます。選挙キャンペーンや地域の貧困問題といったコミュニティ活動に取り組む人もいれば、大学院の人気講師を契約満了で解雇することにした学長への働きかけ、学内の教授陣や授業内容がアメリカ人・白人に偏っているため多様性を求める運動など、学校に対してチャレンジする学生もいました。普通の人々が社会を変えるための理論やリーダーシップが大学でこのように実践的に教えられ、学校側も学生が声を上げることを尊重している。その事実は私の目を開かせてくれるものでした。

普通の人たちのリーダーシップ育成が鍵

ガンツ先生の授業では、キング牧師で知られる公民権運動、ガンジーで有名なインドの独立運動が事例として取り上げられました。でも、これらの出来事は私には壮大すぎ、遠くのことに感じられました。そんなとき、授業で扱った事例に私は釘付けになりました。

アメリカ西海岸のサンノゼで、自治体がある学校の廃校を決定しました。学校がなくなり困り果てた母親たちは、コミュニティ・オーガナイザーに勇気づけられて立ち上がり、自分たちで学校を立て直そうとしたのです。最初は人前で言葉を発することさえできなかった母親が活動を通じてリーダーになりました。そんな母親たちが次々に現れ、活動は大きくなり、見事、学校を立て直すことに成功したのです。

「みんなで力を合わせて課題を解決することって、日本にもあるよね。それを広げて、こんな風に多くの普通の人がリーダーになる日本をみたい」

私はそう思いました。そして公民権運動もキング牧師が一人のカリスマリーダーとして引っ張ったのではないことを知りました。運動を通じてたくさんのリーダーが生まれ、リーダーシップが豊かに育成されることで運動が広がり、強くなったのです。

その日の授業の後、すぐに私はガンツ先生に会いに行きました。

「実際にコミュニティ・オーガナイジングがどう機能するのか、現場で確かめたいです。卒業後にコミュニティ・オーガナイザーとして働ける場所を紹介してください！」

猛烈なお願いは実りました。卒業後に一年間、ニューヨークの中南米からの移民を支援する地域組織でコミュニティ・オーガナイザー見習いとして働くことになったのです。

最初は「ニューヨーク市で病欠有給休暇を実現する」キャンペーンに関わりました。驚いたことに、アメリカでは病欠有給休暇が国の法律で定められていないのです。幸運にも、法案が市議会で可決される瞬間に居合わせることができました。次に高校生と共に行動し「警察による人種差別的な路上での取り調べをなくす」キャンペーンを担当。これも一年間で条例案の検討が進むなど、大きな進展を見ることができました。

コミュニティ・オーガナイジングによって実際にアメリカで市民の声が社会変化を起こしていることは実感できました。が、私がやりたいのは日本にこの手法を広めることです。NPO活動などしたことがなく、その分野の人脈もない私にはどうしたらいいかわかりません。そんなとき知人の紹介で、日本の大学で社会福祉の分野でコミュニティ・オーガナイジングを教える室田信一さんに出会いました。室田さんはコミュニティ・オーガナイザーとしてアメリカで働いた経験があり、日本に帰ってから思うようにコミュニティ・オーガナイジングが広がらないことに悩んでいました。

このとき、私の旅は一人旅ではなくなったのです。私と室田さんはチームを作り、二〇一三年一二月に日本で初めてのコミュニティ・オーガナイジングワークショップを開催。翌年その仲間たちと特定非営利活動法人コミュニティ・オーガナイジング・ジャパンを立ち上げ、日本でコミュニティ・オーガナイジングを教える活動を始めました。それから六年間で、この活動からは多くのコミュニティ・オーガナイザーが生まれ、政府の政策や法改正、事業の成立、地域での活動の広がりなど、実際に世の中に変化を生み出しています。

必要なのは戦略的で効果的なアクション

この旅を始めた頃は、「政治に普段関わりのない普通の人たちが行動して社会を変えていくことって、出過ぎたことだし、独りよがりなのでは？」とか「ある一つの意見を主張すると偏りが生まれるのでは？」という疑問も感じていました。「選挙で選んだ政治家がものごとを決める、私たちは彼らにすべて委ねているのだ」とも思っていました。

私たちが「変化を求めてアクションする」ことは、ほんとうに社会にとって良いこと、正当なことなのか。社会のバランスを崩すことになりはしないか。そんなことを考えていました。市民のアクションはどのようなことを意味し、何をもたらすのか。どのように行えば効果的なものになるのか。少し考えてみましょう。

民主主義とは全員参加の仕組み

そもそも民主主義とは何なのか。日本だと「投票に行くこと」と思えます。そこで、留学中に私は政治学者ジェーン・マンズブリッジ教授が教える「民主主義理論」の授業を取りました。

七〇過ぎのマンズブリッジ教授は若い頃には女性運動にも参加していた大変アクティブな女性です。難解な哲学書を情熱的に解説してくれる授業に私はのめり込みました。

民主主義Democracyとはギリシャで生まれた言葉です。Demoは人々、Kratosは力を意味します。つまり、Democracyとは、人々に決定権を与えること。この「人々が決定する」ということについて、さまざまな哲学者たちが考えを述べています。

国民主権を提唱したフランスの哲学者ルソーは、何人《なんぴと》たりとも誰かを代表することはできない、代表された瞬間に人々の自由はなくなると強調しています。選挙で当選した議員が自分の意見を代表してくれているとは思えていなかった私は、全くその通りだと思いました。私たち一人ひとりの経験、考え、今までの人生をすべて理解して代表してくれる人などいないのです。

イギリスの哲学者ジョン・スチュアート・ミルは、政治の意思決定には全員参加が原則だけど、大きなコミュニティでは現実的に難しいため、代表を選んで政治を行うのがよいと提唱しています。

そしてぐっと遡って古代ギリシャの哲学者アリストテレス。民主主義発祥の地の人なので民主主義が大好きなのかと思ったら、違うようで驚きました。彼は民主主義が万能だと思っていません。ただ民主主義は社会に「公平さ」と意思決定に「多様性」をもたらすのに重要であるとしています。そして民主主義を補完するため、One（一人の意思決定者）、Few（数名の意思決定者）、Many（たくさん、全員）の三つを組み合わせた政治形態を理想としています。これは日本の政治で言うとOne＝内閣総理大臣、Few＝国会、Many＝市民となるでしょう。

民主主義とは選挙で代表者を選ぶことではなく、私たち一人ひとりが全員参加して政治の意思決定をすることを意味している。これは私にとって大きな気付きでした。また、自分が追い求めたいことを肯定してもらえたように感じました。この授業では日本の政治哲学は扱わなかったのですが、政治学者の丸山眞男も、民主主義とは、もともと政治を特定身分の独占から広く市民にまで解放する運動として発達したものであると述べています。そして、民主主義をになう市民の大部分は日常生活では政治以外の職業に従事しているのだから、非政治的な市民の政治的関心によって、また「政界」以外の領域からの政治的発言と行動によってはじめて支えられると言っても過言ではない、と言っています⑽。

そして、市民が主張をすると意思決定が偏るのではないか、という不安は、さまざまな利害関係者がいることによって一つの主張による独占は防がれるという考えが解消してくれました。これはアメリカ合衆国憲法の父と言われる政治家、政治学者のジェームズ・マディソンが言ったことです。これを私は実際に体験もしました。私が日本で刑法性犯罪改正キャンペーン（第9章参照）をしたとき、私たちは被害者の立場から主張していました。加害者を弁護する弁護士の方々の主張には納得できないこともありましたが、異なる視点のおかげで学びもあり、議論が深まりました。

マディソンはこうも述べています。「多数派が少数派を押さえつけるのではなく、さまざまな利害関係者が互いの相違点について交渉し、多数派が統治するが、少数派に十分な配慮と敬意が与えられるような解決策に到達する」。これもキャンペーン中に実感しました。性暴力被害者で声を上げる人は少ないため、検討当初の改正案は被害者への配慮が欠けていましたが、活動によって配慮がなされたものになったのです。

「声を上げることってわがまま？」と遠慮しないでよいと心から思えたのは、国会議員会館に行った時です。そこで目にしたのはダークスーツに身を包んだ企業や団体関係者と思われる人たちばかりでした。彼らは議員との面会に来ているのです。ある国会議員がこわごわと国会を訪れた私たちにこう言いました。「足繁く来てください。やはり人は結局よく会う人の意見が心に残るし、そのために動いてしまうんですよね。政治家も人ですから」

行動するコスト、行動しないコスト

行動することは怖いことです。行動にはコストがつきもの。波風を立てたくない、行動しても損するのは自分だ、と思ったりもするでしょう。上司からハラスメントを受けて、思い切って人事部に相談したら、上司には何も処置がなく自分だけ部署異動になった、といった話をときどき聞きます。私自身も「行動するコスト」を経験しています。

私は二六歳の時に転職をして環境コンサルティング会社で働き出しました。子どもの時からの夢、環境を守れる会社で働けると毎日張り切っていました。しかし一年後に社長が替わり、フレキシブルだった社員の勤務時間が九時から一七時までは必ず出社していなければならない形に変わり、子どもが病気のときに在宅勤務ができていた制度を廃止したのです。子育てしながら働く人が多く、この決定に多くの同僚たちが困惑しました。社長は各社員と一対一で面談し、新しいルールを守るように説得していました。社員の意見を聞かず、また自由に意見を言える環境を作らずにルールを決めるのはおかしい。そう思った私は、皆に匿名で意見を出してもらって意見書をまとめ、社長に提出したのです。すぐに会議室に呼ばれ、社長に「なんてことをしてくれたんだ！」と恫喝されました。その後一年間、私にはつまらない仕事しか回ってきませんでした。キャリアアップの機会の喪失。それが「行動したことのコスト」でした。

このような話は決して珍しいことではないようです。当時の顧客には有名な大企業が含まれていましたが、そこで働く人たちも「会社で新しいことを提案すると白い目で見られる」「何か変えようとすると冷たくされるから何もしないほうがいい」と言っていたのです。自分の意見を会社内で自由に言えないと感じている人は多そうです。

しかし、そこには「行動しないことのコスト」もあります。自分の意見が言えず、鬱屈した状態で働き続けること。それは健康と精神状態にとって良くない影響をもたらすでしょう。私が行動したのは、「行動するコスト」と「行動しないコスト」を天秤にかけ、後者が大きいと判断したからでした。

「行動しないコスト」にはどんなものがあるでしょうか。幾つか例を挙げてみます。

・非正規社員だと、正社員よりはるかに低い待遇で働かなくてはならない。
・上司に理不尽な嫌がらせを受けているのに、耐えなければならない。
・残業を強いられるため、家族との時間や一人の時間がとれない。
・同じ仕事をしているのに、女性の自分は男性社員より給料が低い。
・子どもが生まれたけど保育園に入れず、仕事を辞めざるを得ない。
・大学の学費が高すぎるため、子どもを進学させられない。希望する大学にいけない。
・年金保険料をきちんと払っているけど、将来受け取れる額は少ない。
・理不尽な学校の校則を守り続けなければいけない。

こうした状況を変えていくために「行動するコスト」と、状況を受け入れて耐えていく「行動しないコスト」を比べてみると、どうでしょうか。自分だけでなく周りの人たちが被るコストも考えると、「行動しないコスト」の大きさが、より感じられてくると思います。それが「行動するコスト」を上回るなら、行動する時が来ているのだと思います。

私たちを消極的にするもの

声を上げることはわがままではないし、行動しないコストも大きい。それでも、アクションを起こすことは難しいものです。私の関わったキャンペーンでも、多くの人は、イベントへの参加や署名はしても、その後さらに一緒にアクションを起こすまでには至らない人が大半でした。思えば私自身も、留学する前は自分が主体となって社会に働きかけることなどありませんでした。私たちを消極的にしてしまうものは何なのでしょうか。

社会に影響するために多くの人と共にアクションすることは「社会運動」といわれます。みなさんは社会運動と聞いたときに、どんなイメージ、印象を持ちますか？　ヘルメットを被って棒などを持ち、マスクをしている人たち。過激。反政府。怖い。シュプレヒコールを叫んでいる。知的に見えない。建設的でない。……ポジティブな印象よりネガティブな印象が強いのではないでしょうか。これには日本特有の事情がありそうです。

アメリカでは社会運動のリーダーは称えられ、尊敬されています。それはアメリカ人の多くが「普通の人たちの手で社会を作ってきた、変えてきた」という自負があるからのように感じます。公民権運動、女性運動、労働者運動、移民運動など、人々は実際に運動が社会を変えてきた歴史を知っています。日本の隣国の韓国や台湾でも、一般市民は社会運動に対して前向きなイメージを持っています。いずれも一九八〇年代に民主化された国ですが、民主化を市民のアクション、つまり社会運動で成し遂げたと考えていることが大きいと思います。

対照的に、日本では社会運動に対してネガティブなイメージが支配的です。なぜでしょうか。まず、ネガティブなイメージを助長する歴史的・社会的な背景があると考えられます。

一九六〇年代に、日米安全保障条約の締結に反対する大規模な運動が日本で起きました。一般に「安保闘争」と呼ばれています。この運動やその背景を社会学者の小熊英二が『〈民主〉と〈愛国〉』（新曜社、二〇〇二年）の中で分析しています。大学生を中心に、今まで社会運動に参加したことのないような幅広い層の人々が参加し、ピーク時には各地の集会・デモに五六〇万人が集まりました。特に当時の岸信介首相が安保法案を強行採決したことで、戦後やっと手にした民主主義の危機だと感じた人が多かったのです。しかし安保条約は成立し、この運動の最大の目標は叶いませんでした。また一九六九年には条約の延長に反対する運動が起きましたが、一部勢力が先鋭化しました。暴力的な運動が行われ、内部抗争も激化、一部はテロ組織になりました。

こうした過程の中で、一般の人々は運動に共感しなくなっていきました。一回目の安保闘争は運動に参加した多くの人が望んでいた、安保法案を強行採決した岸内閣の総辞職という成果も上げましたし、運動に関わった人たちはその経験を生かして女性解放運動、反ベトナム戦争運動、環境運動などを立ち上げ、後々大きな成果を上げていきましたが、過激な活動の方がメディアにも取り上げられやすく、人のイメージにも残ります。社会運動をしても物事は変わらない、社会運動をする人たちは怖いというイメージが、こうして醸成されたのだと思います。

安保闘争の後、日本では政治のことを気軽に話しにくくなったようです。この頃は人と話す際によく「私はノンポリです（政治には無関心です）」と前置きしていたそうです。そして高度経済成長時代に入り、人々は豊かな生活を謳歌しはじめます。社会的な問題に声を上げるよりも、頑張って働き、よい生活をしていくことに関心が移っていきました。

安保闘争のネガティブなイメージと急激な経済成長や消費社会への移行に加えて、他にも社会運動への参加にネガティブな理由が考えられます。まず政治学者のロバート・ペッカネンは『日本における市民社会の二重構造』（木鐸社、二〇〇八年）において、次の二点を上げています。

- 一九九八年にNPO法ができるまで、市民活動のための法人の設立はきわめて困難だった。そのため市民主体の活動・運動を組織的に行いづらかった。社会運動が起こってもそれが維持されることは難しかった。
- 町内会や自治会といった地域活動はあるが、お祭りや公園の清掃など身近なことに限られ、大きな社会課題は扱われにくい。また第二次世界大戦中に国を総動員する仕組みとして政府に取り込まれたため政府との関係性が近い。活動も義務的に参加するものとなっていて、普通の人が声を上げること、自ら行動を起こすことを学べる場にはなっていない。

そして法学者の川島武宜は『日本人の法意識』（岩波新書、一九六七年）の中で、日本の権利意識について次のような指摘をしています。

・人が持つ「権利」について、意識が薄い。権利という言葉は江戸時代までの固有の日本語にはなかった。権利は理想と現実を二元的に対比させて考える西洋的な思想から来ている。たとえばキリスト教の「唯一神」のように絶対的な存在は、日本の思想にはない（神道は多神教で人間も神になる）。そのため「権利」といった一〇〇％実現することは難しい理想を社会全体として共有することが難しい。

また政治学者の丸山眞男は少し前にも登場しましたが、その論考「「である」ことと「する」こと」で日本の政治参加について次のような特徴があると述べています。

・日本社会ではいまだに身分、役割意識が強い。江戸時代まで武士が支配階級、政治をする階級であった名残がまだ残っている。つまり民主主義では全員が政治に参加する権利を持っているのに、その立場ではない、と考えてしまう。

最後に私自身が日本社会を観察していて気づいたことですが、以下のことも社会運動への参加にネガティブな影響をもたらしていると思います。

・日本企業における長時間労働の蔓延。終身雇用が一般的だったためもあり、会社に時間を捧げる傾向が強く、多くの人は仕事以外の活動に取り組む余裕がない。また声を上げて会社内で波風を立てることに伴うリスクが高い。
・「日本には〈出る杭は打たれる〉文化がある」「日本人は農耕民族だから和を大切にしてきた」「日本人は社会的な衝突を避ける」といった「日本人論」の書籍が一九七〇年代以降、広く普及し、人々が声を上げないことが「日本人らしい性質」と受け止められるようになった。

非現実的なゴールでは人は動かない

さらに、社会運動に私たちが関わりにくい大きな要因として、従来の多くの社会運動のスタイルや手法にも問題があるように思います。私がコミュニティ・オーガナイジングを日本に伝えたい大きな理由がここにあります。

「一方的な主張ばかり」「話が理屈っぽくて難しい」「攻撃的で近寄りがたい」。社会運動をする人を見て、そんな印象を受けたことはないでしょうか。活動している側は、「説明してもわかってもらえない」「社会のことを考えないなんて意識が低い」と思いがちかもしれません。

人が行動を起こすには、「どのように行動するか（HOW）」と「何のために行動するのか（WHY）」の二つの認識が必要です。[11] 後者は理屈や一般論ではなく、自分にとって大切な理由でなければなりません。いくら「これは問題だから」「社会のためになるから」と言われても、自分の心が動かなければ人は動きません。

かつて私が「日本は市民参加が足りない。一人ひとりがもっと声を上げるべきだ」と理屈を語っても、多くの人は共感してくれませんでした。しかし、私がなぜ市民参加に取り組むようになったのか、幼い頃の出来事から話したときは、多くの人が私のストーリーに共感してくれたのです。ストーリーが人の心に届けば、それは変化を起こす源になります（これがコミュニティ・オーガナイジングの一つのポイントです）。私たちが社会運動に関わりにくさを感じる一因は、活動の語られ方にあるようです。

また、「社会運動をしても、何も変わる気がしない」と二〇代の頃の私は思っていました。人々が集まって何かに反対を叫んだり、理想を掲げたりしているだけで、現実的に物事を変えられる気がしなかったのです。でも私自身が社会運動に関わるようになると、自分もまったく同じようなことをしていました。やがて何が問題だったのか気づきました。「戦略が弱い」と。

ハーバード・ケネディスクールでのコミュニティ・オーガナイジングの授業では、実践が求められます。取り組みたい課題がなかなか見当たらず、困った私は留学前にやっていたボランティア活動のアイディアを借りて、次のようなゴールを設定しました。

「ボストン市民の声を集めて国連に提出し、国連が持続可能な社会を目指す政策をとるように働きかける」

ゴールを発表すると、先生やティーチング・フェローから猛烈にダメ出しされました。「きみ、国連を動かせるの？」一介の大学院生がいくらボストン市民をオーガナイズしても、一学期中に国連を動かす力にはならないでしょう。「勝てないゴールを設定して運動しても疲弊するだけ。小さな勝利を積み上げて人々の活動基盤を作っていくことで、大きな勝利を手に入れられるんだよ」。そう言われてハッとしました。

達成できそうもないゴールを掲げても、人は参加する気にならないし、活動する人も疲れてしまい、続かない。

私は足元から変えようと思い立ち、学校を変えることにしました。ケネディスクールは全世界からパブリックリーダーを目指す人たちが集まる場所ですが、施設の運営は環境に配慮されておらず、学食で使われるお皿やスプーンなどの食器はすべて使い捨てでした。それをリサイクルできるものに変える、というゴールを私は設けたのです。戦略の大事な要素「ゴール設定」の大切さを学んだ時でした。

デモや署名は一つの戦術にすぎない

社会に働きかけるアクションというと、「デモ」が思い浮かぶ人は多いでしょう。次は「署名」でしょうか。ケネディスクールでコミュニティ・オーガナイジングを実践する中で、常に問われたのは「そのアクションで変わるの？」ということでした。

食器を変えるプロジェクトに取り組むことにした私はチームメンバーと話し合い、まず署名を集めようと決めました。報告すると先生は言いました。「その課題の意思決定者は誰なの?」「彼らにとって署名は脅威になるのかな?」意思決定者は学食運営会社です。その会社にとって学生の署名はどれだけ影響力を持つのか。メンバーと考えてみると、会社側は学生のことを無視できるのだ、と気づきました。先生は言いました。「関係者を調べてみなさい。学食会社に影響を与えられる人も含めて」

いろんな人にヒアリングをして調べていくと、それまでも環境問題に敏感な学生や職員が、学食会社にリサイクル食器の使用を求めていたようでした。しかし、みんなバラバラに要望を伝えていたため、会社側は真剣に検討していませんでした。リサイクル食器にするとコストが上がるため、変えたくないのが本音だったようです。

「学食会社に影響力を持つ人はだれ?」と調べてみると、学食会社との契約は学校の施設部が担当していることがわかりました。そこでもう一度チームで作戦を練り直したのです。学生や職員の中で環境問題に取り組む人や団体、学生自治会代表者、施設部と関係者全員で連帯して要望すれば変わるのではと考えました。署名アクションから変更して、関心のある人に学食会社との話し合いの場に来てもらうように約束を取り付けていきました。そして話し合いの日時が決まった後、なんと学食会社側から「リサイクル食器に変える」と伝えてきたのです。

デモは、意思決定者が脅威に感じたり、対応しなければならないと思ったりするなら力を発揮するでしょう。でもそれは状況によって異なります。バラバラの人たちが一時的に集まっているだけだとしたら、意思決定者は「そのうち熱が冷めるだろ」と無視するかもしれません。人が集まればいいというものでもないのです。二〇〇三年二月にイラク戦争開戦に反対するデモが世界約六〇〇都市で行われ、ギネス記録に残るほどの人々が参加しました。しかし当時のブッシュ大統領は大規模デモの一ヶ月後にイラクに対する戦争をはじめたのです。

デモに人が大勢集まるものの、何も変わらない。私たちは同じような事象をたくさん見て、感じてきたのではないでしょうか。ある研究者たちは「バラバラの人たちをまとめる組織の不在」「運動のハンドルを握るリーダーシップの不在」を指摘しています。デモの後も活動が継続しさらに広がるようにしかけられる人がいるか、またはそのようなつながりが参加者間にあるか、デモだけでなく運動全体を見渡して効果的な戦略をとれる人がいるか、といったことがデモの実効性を大きく左右します。

そしてデモは数ある戦術の中の一つの選択肢に過ぎません。社会に働きかけるアクションは他にもいろいろあります。第7章で紹介するセルビアの事例では、親の育休中の給与支給を求めるキャンペーンのキックオフとして、街中にベビー服を吊り下げるアクションをして注目を集めました。可愛いベビー服に街を歩く人々が足をとめ、問題を知るきっかけになったのです。私たちが刑法を変えるキャンペーンをした際は、みんなで簡単に踊れるダンスを作って問題を知ってもらったり、国会議員と一緒に踊って一体感を持ったりしていました。

社会運動はただ集まって声を上げるだけではうまくいきません。効果的な戦略・戦術をとることが欠かせないのです。コミュニティ・オーガナイジングはそのための方法論と言えます。

失敗してもコミュニティは育つ

社会運動を行っても、うまくいくとは限りません。むしろ失敗に終わることのほうが多いかもしれません。成功の見込みが低いのに、取り組む意味はあるのでしょうか。ガンツ先生に意見を求めたところ、こう言われました。

「そうだね、うまくいかないことのほうが多いかもしれない。でも、活動を通じて人々のつながりを生み出し、リーダーシップをたくさん育て、コミュニティを作っていくことができる。そうすればそのとき失敗しても、次の機会にはそれがベースになって、より大きなことにチャレンジできるようになるんだよ」

アメリカでは選挙運動にコミュニティ・オーガナイジングを取り入れることがよくあります。お金もない、組織選挙もできないけど、人々が共感する志を持つ人を当選させるために、ボランティアをコミュニティ・オーガナイザーに育て、地域の人たちをオーガナイズして戸別訪問や電話かけをしたりします。ある選挙キャンペーンでは、候補者は落選したものの、ボランティアの人たちは互いの頑張りを称え、負けたと思えないほど祝福し合いました。これまでつながりのなかった人たちとつながり、大きな動きを作り出せたことを誇りに思ったからでしょう。

コミュニティ・オーガナイジングは、たとえ運動そのものの目的を遂げられなくても、活動の過程で人々の間につながりを生み、草の根のリーダーシップを育てることで、コミュニティの力を高めること、より健全な市民社会を創ることができるのです。それを中心的に行うのがコミュニティ・オーガナイザーです。そしてコミュニティ・オーガナイザーは「専門的な、ある一部の人がする仕事」ではありません。やりたいと決意し、学んで、実践することでできるようになる。コミュニティ・オーガナイザーが、多くのコミュニティ・オーガナイザーを育てることで、よりよい市民社会が作られていくのです。

人の心を動かす力があり、効果的な戦略・戦術を持ち、たくさんのリーダーシップを生み出す社会運動。普段そうしたことには関わらない人、関わりづらいと感じる人も参加でき、自分たちの手で変化を起こせる社会運動。現代の日本社会には、そんな社会運動が切実に求められているように思います。「社会運動」と言うと大ごとのように感じると思いますが、私が学校の食器を変えたように身近なこと、家庭生活、日々の生活を変えること、それが積み重なり「うねり」になっていきます。

次の章から、そんな社会運動を行うための強力な手法、コミュニティ・オーガナイジングについて詳しく紹介していきます。

NOTE

（1）内閣府　平成30年度 我が国と諸外国の若者の意識に関する調査　https://www8.cao.go.jp/youth/kenkyu/ishiki/h30/pdf-index.html

（2）https://epi.yale.edu/epi-results/2020/component/epi

（3）世帯の所得が国の等価可処分所得の中央値の半分（貧困線）に満たない状態のこと

（4）https://jisin.jp/domestic/1623545/

（5）https://musubie.org/news/993/

（6）二〇二〇年六月二三日東京新聞より

（7）Bowen, Roger W. *Rebellion and Democracy in Meiji Japan: A Study of Commoners in the Popular Rights Movement*. Berkeley: University of California Press, 1980.

（8）White, James W. *Ikki: Social Conflict and Political Protest in Early Modern Japan*. Cornell University Press, 2016.

（9）ＮＨＫ　第10回「日本人の意識」調査（２０１８）結果の概要　https://www.nhk.or.jp/bunken/research/yoron/pdf/20190107_1.pdf

（10）丸山眞男『日本の思想』（岩波新書）所収「「である」ことと「する」こと」を参照

（11）Jerome Bruner, "Two Modes of Thought," in *Actual Minds, Possible Worlds*. Cambridge, MA: Harvard University Press, 1986), 11–25.

Part I METHOD

変革の起こし方

「出る杭は打たれるなんて恐れずに、自ら行動してみましょう」

と言われても、すぐできる人なんてそうそういないでしょう。

まず、やり方がわかりません。たとえば「読み書き」を私たちは、漢字を覚えて、文章を読んだり、作文を書いたりして習得してきました。つまり「知識を学んで、練習して、実際に使ってみる」というプロセスを経て習得するのです。社会的なアクションを起こすことも同じです。行動するための知識を学び、練習して、実践する。ただ、日本の学校教育では、行動の仕方を意図的に教えることはしていないでしょう。それに、大人たちが社会的な活動に関わっていれば子どももそれを当然やることと捉えるようになりますが、大人たちが「問題があっても行動しない」選択をしていたら、それを見て育つ子どもたちも「行動しない」ようになるでしょう。私たちには、社会的アクションの方法論や、それを学ぶ機会が不足しているのです。

そこで役に立つのが、コミュニティ・オーガナイジングだと私は考えています。

コミュニティ・オーガナイジングとは、人々が力を合わせて大きな力を生み出し、社会課題を解決することであり、その方法論です。日本でも序章でお話ししたとおり中世の一揆、戦後の公害運動、地域活動などさまざまな社会運動が行われてきましたが、それを理論化して意図的に学べるようにしたものがコミュニティ・オーガナイジングです。アメリカをはじめさまざまな国、団体や大学で教えられており、私が関わるNPO法人コミュニティ・オーガナイジング・ジャパンではハーバード・ケネディスクールのマーシャル・ガンツ博士のまとめた方法論をもとに教えています。社会学、心理学などの理論を元に、誰でも学べ、教えられるように体系化したものです。

コミュニティ・オーガナイジングは、大きく五つのステップに整理できます。

1　共に行動を起こすためのストーリーを語る**パブリック・ナラティブ**
2　活動の基礎となる人との強い関係を作る**関係構築**
3　みんなの力が発揮できるようにする**チーム構築**
4　人々の持つものを創造的に生かして変化を起こす**戦略作り**
5　たくさんの人と行動し、効果を測定する**アクション**

また、この五つの実践を支えるものとして**コーチング**があります。

ここからコミュニティ・オーガナイジングについて、ステップごとに、実践がイメージできるようにストーリーを軸にお話ししていきます。扱うのは、小学校五年生の女の子、カナメが学校で直面した課題に対し、仲間とともにコミュニティ・オーガナイジングで挑む架空のストーリーです。

なぜ小学生を主人公としたストーリーを使うのか。一つの理由は、できるだけかみ砕いた言葉で、誰もがイメージできる題材で語りたいからです。コミュニティ・オーガナイジングはアメリカで研究が進んでいるため、使う言葉もカタカナになりがちです。そのまま話しているとわかりにくいと言われることがあります。多くの人に知ってもらい、活動に参加してもらうために、なるべく普段使う言葉で語るべきだと考えています。

また、実際に日本の小学生も行動を起こしています。板橋区の小学校六年生の子どもたちは、廃校跡のグラウンドで毎日サッカーをしていました。しかしある日突然、工事のためにボール遊びを禁止されてしまったのです。他の公園も試したり、区内の公園を詳細に調べたりしましたが、フェンスにボールを当ててはだめとか、使用可能時間が一六時三〇分までなどの決まりが

図1.1 コミュニティ・オーガナイジングの5つのステップ

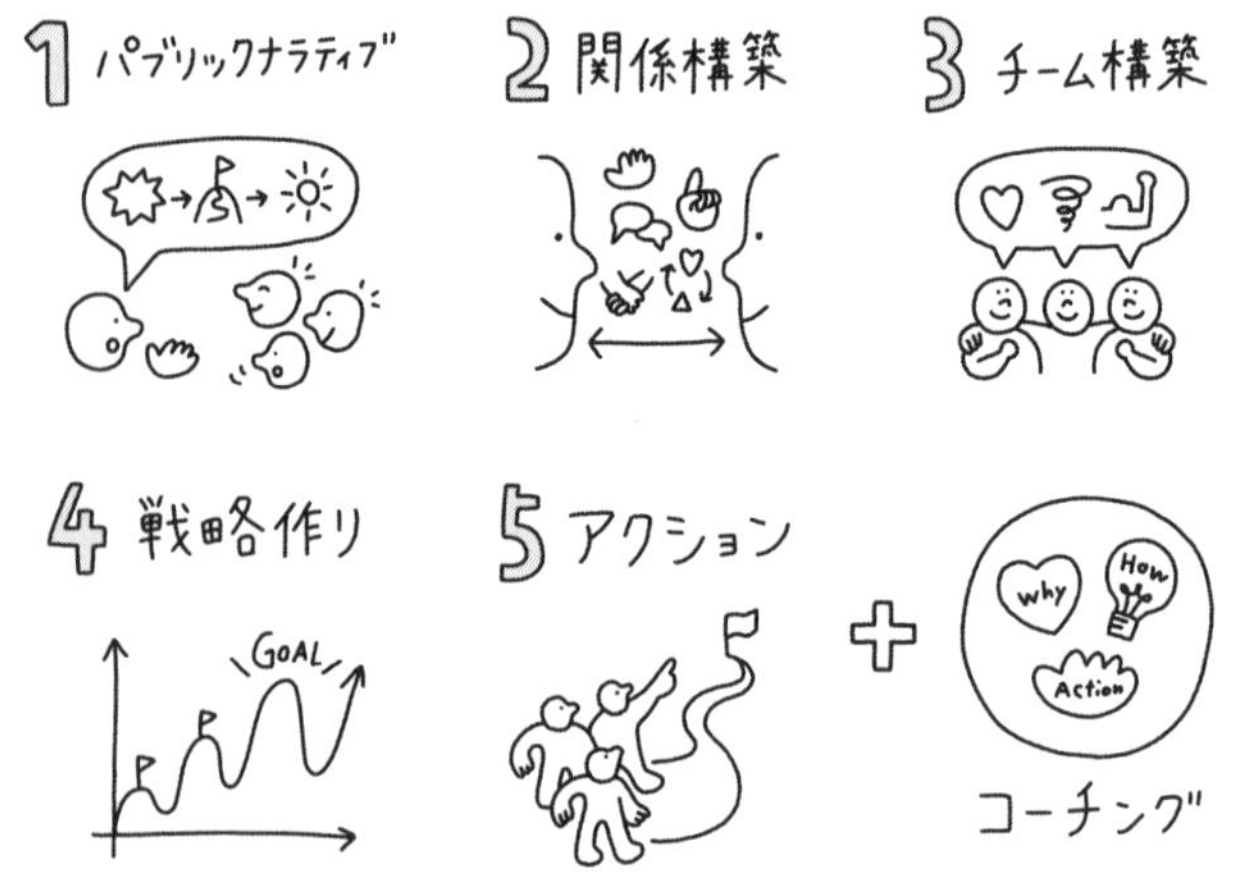

あり、存分にサッカーができません。

「思いっきりサッカーがしたい」という思いに衝き動かされた子どもたちは、大人たちにヒントをもらいながら、区長への手紙を書いたり、陳情書を書いて区議会に提出するといった三〇〇日に渡る戦いを繰り広げました。その結果、ボール遊びができる場所を確保できるようになったのです。

そしてメキシコでは最近、民主的なシチズンシップ教育の一環で、公立の小学校から高校までの教育課程においてコミュニティ・オーガナイジングを年間を通じて、発達段階に応じて教えています。生徒が自分のことを知るところからはじめ、コミュニティのいくつもの問題を理解し、みなで話し合い一つの問題にしぼり、社会資源を探しあて、賛同者や反対者、関係者を特定し、戦略を立ててアクションしていく。メキシコの子どもたちは、カナメたちがみなさんにお見せする方法でコミュニティ・オーガナイジングを学び実践しています。

それでは、カナメと仲間たちの大冒険。はじまり、はじまり。

第1章 コミュニティ・オーガナイジングとは何か

ある日、昼休みがなくなった

四月に五年生になったカナメ。新しいクラスに期待が膨らむ中、新しく着任した教頭先生が始業式でスピーチをしています。教頭先生はなかなか厳しそうな人。「なんだか怖そうな先生」とカナメは思いました。そのとき、子どもたちからどよめきが起きました。「みなさん、日頃から勉強を頑張っていると思いますが、もっとみなさんの成績は伸びるはず。だから、これから昼休みの時間を、全員が読書する時間にします」と教頭先生が宣言したのです。

カナメは動揺しました。昼休みは大好きな時間です。友達と絵を描いたり、鬼ごっこをしたり。給食が終わるとすぐに外に飛び出しドッジボールやサッカーをする子もいます。これからはその時間がなくなり、代わりに読書をしなければならないのです。

嫌だなあ、と思いながら家に帰る途中、近所に住む年上のユキさんに会いました。いつも元気で明るい女性でカナメはユキさんを慕っていました。カナメのお父さんのように会社で働いている人ではなく、社会を良くするための団体で、社会の問題を解決する方法を教えている人なのだ、とお母さんから聞いていました。

「カナメ、元気なさそうじゃん。どうしたの?」

アパートの前を掃除していたユキさんが手を止めて声をかけました。

「うん、明日からね、学校で昼休みがなくなっちゃうの」

カナメはうつむきながら応えます。

「え、なんで？」

「私たちの成績をもっと伸ばしたいから。本を読む時間を増やすと良くなるはずだって」

「昼休みって自由に遊べる時間のはずでしょ？」

「うん。そうなんだけど……。でも、教頭先生が決めたことだから」

「大人や先生が決めたことがいつも正しいとは限らないよ。カナメはどう思うの？」

「おかしいと思う。クラスのみんなも嫌がってたよ」

「そうだよね」。ユキさんは頷き、カナメの目を見て言いました。「カナメはどうしたいの？」

「え？」

「カナメはどうしたいの？」

「どうしたいって……教頭先生が決めたんだよ。従うしかないよ」

「普通はそう思うよね。でも、変えられる方法を私、知ってるよ」

「え？　変えられる方法？」

「そう。変えるのは大変だけど、方法はある。知りたかったらいつでもおいで」

「うん……」

カナメは家に帰ってから考えましたが、どんな方法なのか見当もつきません。それに、やっぱり教頭先生が決めたことには従うしかないよね、と思いました。

あなたがこの世で見たいと願う変化に、あなた自身がなりなさい

翌朝、学校に行くと、みんな昼休みが自由でなくなったことを話していました。「いつドッジボールするんだよ」「ゴムとびしたいのに」「本読むのは好きだけど、強制されたくないよね」「新しい教頭、最悪だ」「早く違う学校に行ってほしい」……

そして昼休み。担任の先生がたくさんの本を持ってきて、子どもたちに一冊ずつ配りました。カナメに回って来た本はガンジーの伝記でした。まわりを見渡すとクラスメイトの顔はみなどんよりしています。今まででいちばん静かな昼休みが始まりました。みんなの重たい気持ちが伝わってくる二〇分。いつももっと続いてほしいと思う昼休みが、こんなに早く終わってほしいと思う時間になるなんて。ふと横を見ると、タケルは下を向いて紙で作った小さいボールを机の下で蹴っています。いつも活発で優しいリンは気怠そうに窓の外を見ています。ああ、こんなみんなの姿は見たくない……と思ったときに、なんとなく読んでいた本の中の言葉が目に飛び込んできました。

「あなたがこの世で見たいと願う変化に、あなた自身がなりなさい」

昨日ユキさんに聞かれた質問を思い出しました。「カナメはどうしたいの?」

その日の帰り道、ばったり会った六年生で児童会長のユリに、「教頭先生に昼休みを自由にしてください、とお願いしたけど、全然話を聞いてくれなかった」と聞いて、さらに暗い気持ちになりました。カナメはしばらく公園で考えたあと、よしっと一声上げて、ユキさんの家に向かったのです。

「どうしたの?」

「やっぱり、みんなつらそうで、私もこのまま昼休みがなくなるの嫌だし、なんとかしたくなってきたの」

「おお、いいね! じゃあ作戦会議だ!」

困難を抱える人々が変化の源

「これからカナメは、コミュニティ・オーガナイザーになるんだよ」

とユキさんは言いました。

「何それ?」

「困難に直面している人たちをオーガナイズして、その人たちの持っているものを使って、パワーを作り出し、問題の解決を促す人のこと」

「オーガナイズって？」

「人をつなげて、まとまりを作っていくようなことだよ」

ユキさんは、なぜその活動を行う必要があるのかを説明しました。教頭先生は学校の中で地位が高いから、教頭先生が決めたことには従うしかない、と子どもたちは思っています。でも、多くの子どもたちがつながり、団結して行動したら、パワーが生まれます。教頭先生に負けないくらいのパワーを作り出すこともできるかもしれません。そうすれば、昼休みの時間の使い方を元通りに戻せるかもしれません。

「コミュニティ・オーガナイジングは、パワーの偏りを解消することを目指す取り組みなんだ。社会で起きる問題は、立場の弱い人に起こるのよ。たとえば、去年まで一緒のクラスだったミホ、今年から普通学級に参加できなくなったでしょ」

ミホは聴覚障害を持つ子です。五年生になってから普通学級でみかけていません。

「聴覚障害のある子がいると他の児童の授業に影響があると考えられていて、高学年からは普通学級に参加できない決まりになってるの。ミホは耳以外は何も問題がないのに、みんなと同じ内容を学べないんだよ。おかしくない？」

「おかしい！」

「立場の弱い人にはこういう問題が起きるの。それを変えるにはパワーが必要。最近ミホの両親は他に障害を持つ子の親たちをオーガナイズして学校に問題提起していて、もしかしたらミホや他の子たちも普通学級に来年から参加できるかもしれないんだ。カナメたちもパワーを作らないと、教頭先生はますます自由時間を勉強の時間に変えてしまうかもしれないよ。でもオーガナイズしてパワーを作ったら変えられるかもしれない」

もっと自由時間がなくなったら大変だとカナメは思いつつも、ミホの両親の行動を聞いて、変えられる希望も感じました。

「カナメの同志は誰？」

同志とは、同じ困難に直面する人々のことだとユキさんは言いました。

「クラスメイト。でも学校中の子が昼休みがなくなって困ってるから、全校児童かも」

「そのなかでも特に中心となって動きそうな人たちは誰だろう？」

「低学年の子たちはよく事情がわかってないみたい。高学年の子はみんな怒ってるよ」

「その中でカナメとつながりがあるのは誰？」

「同じ学年の子」

「そうしたら、同志は小学校の児童全員、中心となる同志が五年生だね。まずこの中心となる同志をオーガナイズすることに取り組んでみよう」

弱さが強さになるリーダーシップ

▼コミュニティ・オーガナイジングにおける「同志」とは

コミュニティ・オーガナイザーのすることは何か。それは人々が持つリーダーシップを見出し、活動に招き入れ、人々の能力を伸ばしていくことです。そしてコミュニティを形作り、コミュニティの持てるもの（資源）からパワーを作っていきます。顧客にサービスを提供するのでなく、消費者に商品を売るのでもありません。同志という「共通の関心事のために結束することができる人たち」をオーガナイズしていきます。

同志とは社会問題に直面している「当事者」、そして当事者と同じくらい想いを共にしている人々を指します。同志の持てるもの（資源）を使ってどのように変化を起こせるかを考えていくのです。当事者自らが変化を起こす力を見出し、それを最大限使うことで、コミュニティそのものの力を増すことを狙います。

問題を抱える当事者（そして同じ想いの人々）が変化を起こす主体者となることが大事なのです。

一人でやらず、つながりを徐々に広げていく

「でも、みんなをオーガナイズするって大変そう」とカナメは顔を曇らせました。「みんなと話さないといけないんでしょ？　そんなことしたことがないし。教頭先生よりも偉い人とかに手紙を書いて、教頭先生を辞めさせればいいんじゃない？」

ユキさんは微笑んで言いました。

「いやいや、それだと子どもたちにパワーがつかないよ。また似たような先生が来て、嫌なことしてくるかもよ。それに教頭先生とその偉い人が仲良しかもしれないよ」

「そうか……でも一人で全校児童をオーガナイズなんてできないよ」

「それは誰でも無理！　成功した社会運動で、一人のリーダーが成し遂げたものなんてないよ。たくさんのリーダーが生まれて、そのリーダーたちが人々を勇気づけて参加してもらい、その中から新たにリーダーが生まれて……その繰り返しで運動が大きくなるの」

ユキさんは紙を取り出し、図をかき始めました。

「この徐々に広げていくやり方を、スノーフレークリーダーシップ（**図1・1**）というの。スノーフレークは雪の結晶のこと。中心から広がっていく形でしょう。カナメ一人でやろうとしたら、きっと疲れて途中でだめになるよね。これをドットリーダーシップという。みんながバラバラの方向を見ていてもだめ。これはバラバラリーダーシップ」

一人で頑張るのでもなく、バラバラでもなく、つながりを徐々に広げていくスノーフレークリーダーシップ。それがコミュニティ・オーガナイジングを成功させるカギだとユキさんは言いました。

「去年の学級委員のハヤトはドットリーダーだ」とカナメは言いました。「みんなでバラを育てるはずだったのに、いろいろ係をやって、一人で世話してたの。バラは育ってたけど、ハヤトが風邪でしばらく休んでた間に何本も枯れちゃった」

「そう、それがドットリーダーの弱み。一人でやってたら、その人がいなくなると活動は止まっちゃう。カナメはハヤトを見ていてどう思った？」

「一人で大変そうだけど、一人でやりたいのかなと思って何もしなかった。そのうちバラのことも忘れてた」

「逆に、うまくスノーフレークができていた人を見たことはある？」

「ミナ！　去年の募金運動の委員長だった子。クラスごとに協力してくれる人を見つけて、その人たちが各クラスでお金を集めていて、いままでにないくらい集まったんだって。ミナちゃん別にしっかり者って感じじゃないのに、びっくりしたよ」

「そう。完璧なリーダーでなくていいんだよ。人間誰しも弱いところがある、そこを補いあう人たちでコミュニティを作っていくと、一人でやるよりもずっと大きなことができる」

「私も苦手なことたくさんあるけど、みんなをオーガナイズできるのかな」

図 1.1 スノーフレークリーダーシップ

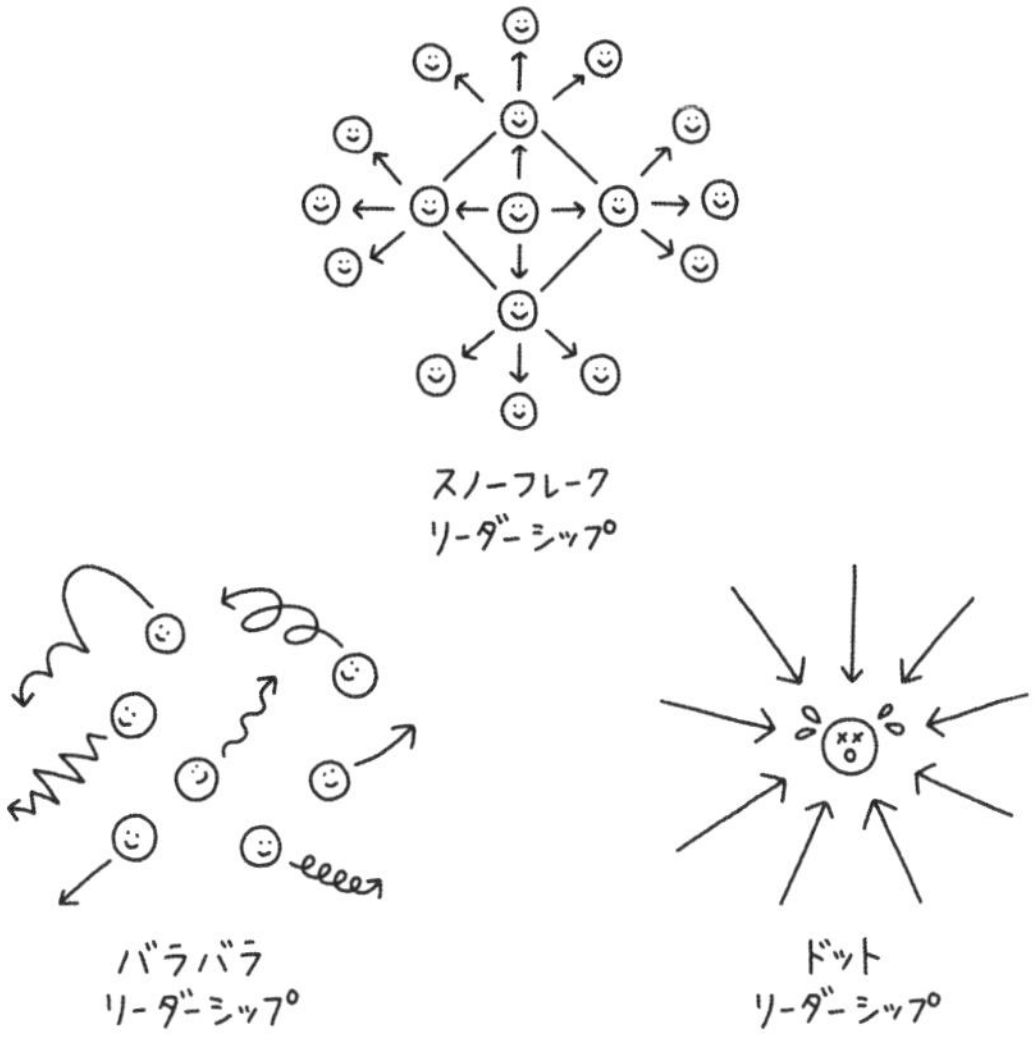

「できるよ！　一緒に学んでいこう。自転車に最初から乗れる人はいないよね。何度も練習して、何度も転んで、乗れるようになる。コミュニティ・オーガナイジングも同じ。やってみて、転んで、またやってみて、できるようになるんだよ」

▼スノーフレークリーダーシップとは

企業活動では人は「コスト」として見られることがありますが、コミュニティ・オーガナイジングでは人はあくまでも「資源」。増えれば増える程よいものです。そのため、たくさんの人が参加できる組織であることが大切です。

目指す形はスノーフレーク（雪の結晶）リーダーシップ。リーダーシップとは、他のリーダーを育成することです。そして、今度はその育成された人がさらに他のリーダーを育成します。これが続いていくことで、たくさんの人が参加できる、大きな動きを作れる組織になっていきます。

行動を起こすとき、あなたは中心にいる「ドットリーダー」かもしれません。あなたの成功は他の人たちのリーダーシップを育めるかどうかにかかっているのです。

図1.2 スイミーはコミュニティ・オーガナイジング

スイミーはコミュニティ・オーガナイジング

いいことを思い出した、という表情でユキさんが問いかけました。

「カナメ、『スイミー』って国語の教科書で読んだ？」

「読んだ！」

「あれが、まさしくコミュニティ・オーガナイジングだよ。小魚たちは一匹では弱いけど、みんなで一緒に泳げるように訓練して大きな魚の形を作ったら、怖い敵を追い払うことができる」

「そっか！」

「そしてスイミーは黒くて最初は小魚たちと色が違うから仲間に入れなくてひとりぼっちだったけど、黒いという個性を生かして大きな魚の目になったでしょ。コミュニティ・オーガナイジングでは一人ひとりの違い、持っているものを活かすことを大事にしてるんだよ」

「スイミーができたのなら、わたしにもできる気がしてきた！」

▼コミュニティ・オーガナイジングにおけるリーダーシップとは

リーダーシップの定義は多様ですが、コミュニティ・オーガナイジングでは「不確実な状況の中、他者が目的を達成できるようにする責任を引き受けること」と定義しています。一人で孤高に引っ張るのではなく他者と関係を作り、他者の力を引き出していくことが、求められるリーダーシップなのです。そしてこの定義は、一世紀のエルサレムの賢人ラビ・ヒレルが提示した三つの問いから来ています。

もし、私が私のためにあるのでなければ、私は「誰」か？

これは「自己中心的であれ」と言っているのではなく、「あなたは何者ですか？」という問いです。他者を導きたければ、自分の価値観、資源、志をはっきりと理解していなければなりません。

私が私のためだけにあるのなら、私は「何」なのか？

「何」という「物」ではなく「人」であるためには、私たちが他者との関係の中で生きていることを認識することが大事です。私たちが目的を実現できるかどうかは、他者の能力を引き出すことにかかっています。

そして、もし今でなければ「いつ」なのか？

私たちは行動することなしに、効果的に行動することを学べません。学びは、行動から生まれるものです。行動しなければ変化は起きません。

ヒレルの言葉は、リーダーシップとは自分、他者、行動が相互に関わり合って生まれるものだということを示しています。

リーダーシップが特に必要とされるのは、問題が何もない状態よりも、混乱し、解決が難しく、予想不可能な状況においてです。不確実な状況に適応し、創造的になることが必要な状況です。したがって、リーダーシップは「チャレンジング」であり、恐れを伴います。そこには三つのチャレンジがあります。

- 困難な状況に対応するために「知識やスキル」を学ぶ（**手**のチャレンジ）
- 自分の持てる資源を使って困難を解決する「方法を考える」（**頭**のチャレンジ）
- 困難な状況に立ちむかい、他者にも同じ行動を促せるよう「勇気、希望」を見つ

ける（**心**のチャレンジ）

また、ヒレルの言葉が「答え」ではなく「問い」になっていることも重要です。リーダーシップには「知る人」であることより、「学ぶ人」であることが大切だと言っているのです。誰も未来に何が起こるか知りません。しかし迫りくる未来にどう対処するか学ぶことはできます。リーダーシップは事態を管理することではなく、事態に適応することです。そして地位によって生まれるものではなく、実践によって生まれるものです。会社や組織の中で地位があっても全くリーダーシップを発揮していない人もいます。一方、地位がなくても多くの人とともに問題解決に取り組んでいる人もいます。

さて、カナメは混乱した不確実な状況の下、経験や知識もなく、地位もない立場で、どう同志たちをオーガナイズして自由な昼休みを取り戻すのでしょうか。

第2章

パブリック・ナラティブ

ストーリーを語り、勇気を育む

人はどこから勇気を得る？

すっかりやる気になったカナメは言いました。

「それじゃあ、明日クラスのみんなで教頭先生のところに行って、昼休みを自由にするように頼んでみるよ！」

「待って！」

ユキさんは笑顔で言いました。

「気持ちはわかるけど、今カナメがみんなに『一緒に教頭先生に意見を言いに行こう』と言ったら、みんなは何て言うかな？」

「行くって言わないかなあ」

「教頭先生に反対意見言うの怖くない？　怒られるかもよ。必ずうまくいくの？」

「……でも、正しいことだから」

「正しいことだからというだけでは、人は参加してくれないよ。心が動くことが大事。そして、こうしたら変えられる、という道筋を示すこと。人は心と頭が揃って初めて行動できるんだよ」

そうかもしれないとカナメは思いました。

「カナメは最近、人の話を聞いて感動したことある？」

「うーん、隣のクラスのマイの話かな。小児がんでずっと学校に来てなかったんだけど、この前久しぶりに来て、病気をどう克服したのか、休み時間に話してくれたの」

「どうして感動したの？」

「病気がすごく辛かったのに、逃げないで立ち向かったのが、すごいなって」

「病気が辛かったことはどうしてわかったの?」

「毎日お腹が痛かったとか、ものが食べられなかった、痛くて夜眠れない日があった、治療が痛くて逃げ出したかった、とか聞いて、想像しちゃったから」

「どうして逃げずに立ち向かえたんだろう？」

「辛い治療のときに、看護師さんが『九歳なのにこんな辛い治療に耐えているマイは強い』と言ってくれたんだって。マイは泣き虫で自分が弱いと思ってたから、看護師さんの言葉にびっくりしたけど、自分は強いんだ、治療も大丈夫、と思えたんだって」

「わー、すごいね。カナメはマイの話を聞いて何を思ったの？」

「なんかね、私も強くなれるかもと思った。あと、諦めないのが大事と思ったよ」

聞き手が想像できるように語る

「カナメ、マイの話、ありがとう。これはカナメに必要な学びがたくさんつまっている話だね。まず人の心を動かすにはストーリーが必要。だけど、語ればいいってものじゃないの。マイの話を聞いて、カナメはマイと同じ病気は経験してないけど、どれだけ辛かったのか、マイが辛かった瞬間を語ってくれたから想像できたよね」

「うん、できた。頭に浮かんだよ」

「そう、聞き手が想像できるように、ある瞬間を、細部を語っていくの（**図2・1**）。そうすると聞き手は語り手の感情を感じられる。マイの気持ちが、そのシーンを想像できたから伝わってきたんだね」

弱さを語る強さ

ユキさんはカナメにさらに聞きます。

「マイが『私は病気を乗り越えたから強いんだ』と話すのと、実際に話してくれたように

図2.1 聞き手が想像できるように語る

話すのとでは、感じ方にどんな違いがあると思う？」

「うーん……『強いんだ』とだけ言われると、すごいね、としか思わないかも。マイが辛かったこと、頑張って乗り越えたことを話してくれたから、感動したんだと思う」

「そう。人は弱みを見せられるとそこに共感するんだよね。人は誰でも、困難なことがあると辛くなったり悲しくなったり、怖かったりする。そういう気持ちを隠して強がるより、正直に話すほうが、周りの人が協力してくれやすくなるんじゃないかな」

「うん。正直に話せるマイはすごいな、と思ったよ」

「マイは『弱さを語る強さ』をカナメに見せてくれたね！」

▼弱さを語る強さとは？「バルナラビリティ」

人は普通、自分を強く見せなければならないと思います。でも弱さを見せることで人とつながれるのです。自分が心を開いて自分の弱さを語ることで、聞き手もあなたに心を開いていきます。この弱さを見せる強さを「バルナラビリティ（脆さ）」と呼んでいます。

私のストーリー――想いを伝える

「マイの話を分解すると、三つのことが順番に話されていることがわかるよ。まず、病気の症状や治療が辛かったという①**困難**、それに対して治療を続けたという②**選択**、そして看護師さんがマイを強いと言ってくれて自分の強さを発見できた③**結果**。このように、**困難→選択→結果**という流れになってるんだよ」

ユキさんは話しながら図をかきました（**図2・2**）。

「この流れで話すと、大事にしている想い、つまり**価値観**が伝わるんだ。マイの話を聞いて、『諦めないのが大事』だと思った、と言ったよね」

「うん」

「それが、大事にしている想い（**価値観**）」

「そういうことか！」

「ちなみに、困難は決して悲劇的なことでなくていいの。予想外のことが起きたとか、チャレンジしてみたとかでもいい。実は昔話はだいたいこの流れになってるんだよ。たとえばウサギとカメの話。カメは、ウサギと競走することになったという①**困難**に直面した。でもカメは逃げずにチャレンジし、自分のペースで歩き続けるという②**選択**をした。そしてウサギに勝つと

図 2.2 ストーリーは困難→選択→結果

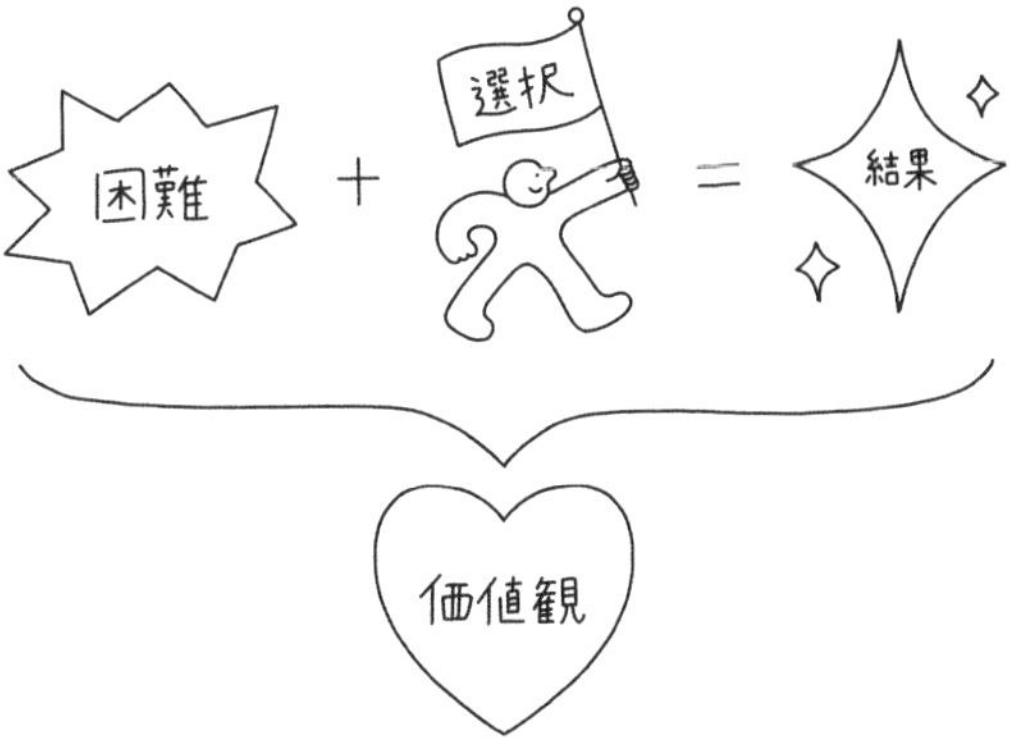

いう③**結果**を得た。人はこの話を聞くと、諦めずにこつこつやり続けることが大事と思うんじゃないかな。それが**価値観**」

「なるほど。昔話も**困難→選択→結果**なんだ！」

「ストーリーで一番大事なのは、なぜ私にとってそれが大事なのかをしっかり語ることだよ。カナメにとって、自由な昼休みを取り戻すことがなぜ大事なのかな」

「だって、昼休みが自由に過ごせないなんておかしいよ」

「そうね。でも多くの子どもたちは行動を起こしてないよね。カナメはなんで私のところまで来たの」

「たまたまお姉さんに会ったから……」

「でも、他の子とも話したけど、うちに来たのはカナメだけだよ」

「え、そうなの」

「なんでそんなに自由に昼休みを過ごすのが大事なの？」

質問攻めにされたカナメ。この後もしばらく「なんで、なぜ」と質問が続きました（コミュニティ・オーガナイジングの分野ではこれを**コーチング**と言います）。辟易しつつも、徐々にカナメの胸の奥にある想いが浮かび上がってきました。

「そういえば、私は三年生のときに転校してきて、そのときこの学校の自由さにびっくりしたの。前の学校は規則が多くて、先生の言うことを聞かないとすぐに怒られてた。でも今の学校は、ずっと自由だと感じたの」

「どんな風に？　何があったか教えて！」

「担任の先生がギターを持ってきてみんなで歌ったり、学級会を子どもが司会する形でやらせてくれたりした。あと、私は前の学校で黒板に絵を描いて怒られたことがあるんだけど、国語でクジラの話を読んだとき、昼休みに黒板一杯に大きなクジラの絵を描いたの。夢中になって描いていたら先生が来て、怒られるかなと思ったけど、褒めてくれたんだよね」

「カナメにとって昼休みは自由に自分を表現できて、それが認められる時間だったんだね」

「そっか！　だから私にとって自由な昼休みが大事なんだ」

「カナメの**私のストーリー**が見えてきたね！」

「ありがとう。でも自分じゃわからなかったよ」

「自分のストーリーは身近過ぎてわかりにくい。人に質問してもらうこと（コーチング）で引き出してもらうものなんだよ」

▼ストーリーの語り方

人が主体的に行動するとき、その人は何らかの**価値観**に基づいて選択し、行動しています。なぜ行動しているか他者にわかってもらうには、その価値観を伝える必要があります。そのためには、いつどのようにその**価値観**が培われたのか、ストーリーを語ることが効果的です。

カナメの場合、「自由が大事」という**価値観**は制限のある学校から自由な学校に転校して自分を発揮する喜びから得られました。これを、**困難**→**選択**→**結果**の流れで語ります。**困難**は制限のある学校、**選択**は転校した学校で黒板にクジラの絵を描くこと、**結果**はそれが先生に認められて喜びを感じたこと。これを感情がイメージできるように語っていくのが大事です。

私たちのストーリー——共有する価値観を示す

「では次。カナメのことを話しただけでは、残念ながら不十分なのです」

ユキさんは言いました。

「その話が自分にとってもそうだ、自分にも当てはまる、と思えないと人は動かないの。たとえば、バラを一人で育てていたハヤト。彼はバラを大切にしていたんだろうけど、カナメたちはバラを大切だと感じてた？」

「感じてなかったと思う」

「だとすると、バラを大切に育てることは、〈ハヤトのストーリー〉になっていた。みんなを動かすには、それを**私たちのストーリー**にしないといけない」

「そうなんだ」

「みんなが一体になったと感じたときはある？」

「合唱コンクール！　三ヶ月くらい毎日練習して、喧嘩もして辛かったけど、最後みんなで歌うのがすごく楽しかった。違うパートと重なり合う音が体育館中に広がるのが気持ちよくて」

「いいね！　そういう経験を語ることで、一体になったと感じられるようにするんだよ」

「どういうふうに？」

「合唱コンクールの前に、みんなとどれだけ頑張って練習してきたか話したりした？」

「……そういえば、先生が本番前みんなが緊張しているときに、私たちがどれだけ練習してきたか、成長してきたか話してくれて、なんだか落ち着いたよ」

「先生が語ってくれたのがまさに**私たちのストーリー**だね。みんなで共有する経験、想いなど

図2.3 私たちのストーリー

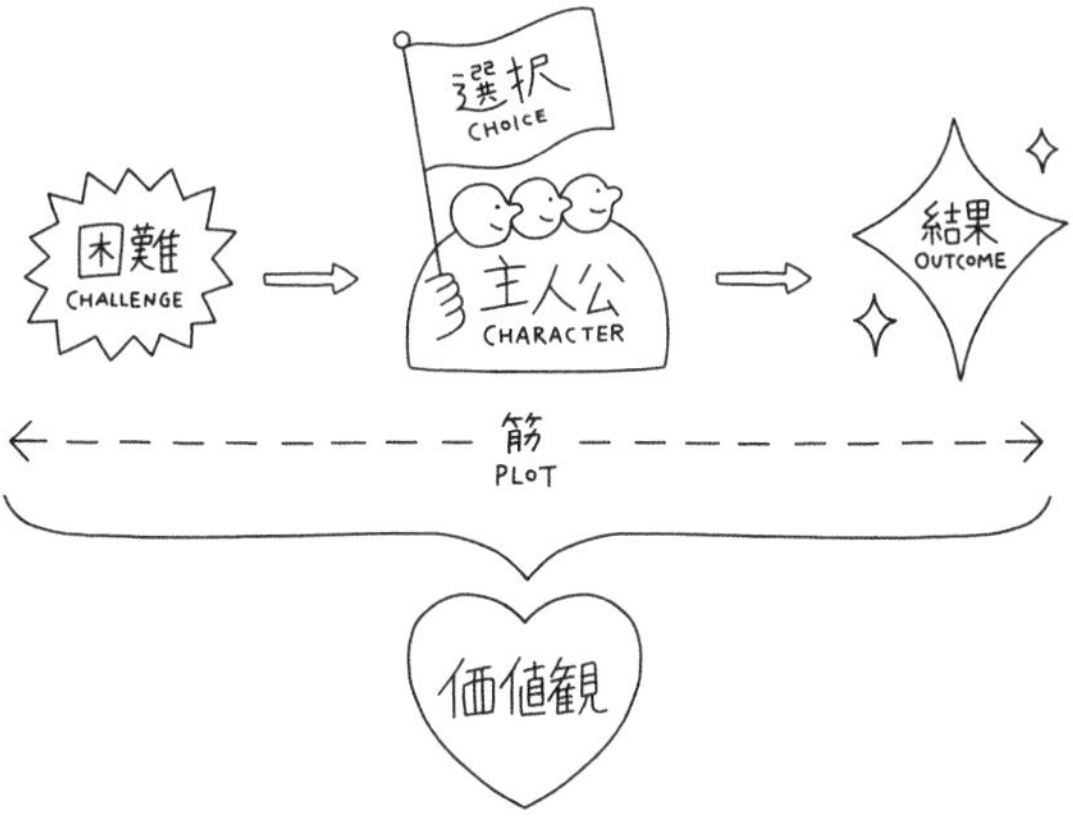

を語るの。それで、私も含まれている、私とみんなはつながってる、と感じてもらうんだよ。ポイントは細部を具体的に語ること」

「なんで？」

「そうだ、そういうことがあった、と思い出して心が動くから。たとえば、毎日放課後も練習してきたとか、声がずれやすい所の指揮者の合図の仕方をみんなで考えたとか、風邪で当日休む人が出ないようにみんなで声をかけ合って手洗いうがいを徹底してきたとか、細かなことを語ると、どう思う？」

「みんなで本当に頑張ってきたんだと思える！」

「そう。それが細部を語る強さだよ」

それから、カナメたちの「私たちのストーリー」づくりが始まりました。これも「困難→選択→結果」の流れで、ただし主人公を「私たち」にして語るのだとユキさんは言います（**図2・3**）。

「まず誰に向けて話したいかな？」

「うーん、まず同じクラスの子、学年の子かな」

「私たちのストーリーは、誰に対して話すかで**私たち**が変わるのよ。だから話の内容も変える必要があるの。たとえば同じ学年の子と、違う学年の子とでは、共通して持っている経験は違うでしょ」

「たしかに。難しいなあ」

「そう、**私たちのストーリー**は**私のストーリー**より難しい。だから語らない人が多い。でもそれを語らないと、一体となって動くスイミーは作れないんだ。同じ学年の子の間では、これまでにどんな困難があったのかな？」

「今の昼休みの困難じゃなくて？」

「過去の話。私と私たちのストーリーでは過去のことを語るの」

カナメは一年前、四年生が飼っていたウサギが盗まれたときのことを思い出しました。みんなショックで泣いている子も何人もいました。体育館でお別れの会をした後、小屋の鍵を安全に管理する方法を、みんなで先生と相談したのでした。またウサギを飼いたかったからです。お別れ会のときは悲しかったけど、またウサギが飼えることになったときはみんな大喜びでした。そして、大変なことがあっても、それをバネにできるんだとカナメは感じたのです。話を聞いてユキさんは嬉しそうに言いました。

「それは五年生の**私たちのストーリー**になるね！」

▼私たちのストーリーとは

一体感を生むことは決して容易ではありません。多くの時間を一緒に過ごし、共有するものがたくさんある人たちであれば簡単ですが、一見共有するもののない人たちに共有するものを見出し、ストーリーで語るには訓練が必要です。「私のストーリー」と同様に、①私たちが直面した**困難**、②私たちがその困難に対してとった**選択**、③その**結果**私たちが見たもの（希望）という流れで、その経験から共有する価値観を感じられるストーリーを組み立てます。

カナメの小学五年生のストーリーは、ウサギが盗まれたという**困難**、お別れ会をし、解決策も考える**選択**、そしてみんなで悲しみを共有した上でよい解決策も考えられた**結果（希望）**という構成でした。問題があってもみんなで解決策を考えれば乗り越えられるといった**価値観**を表現することができそうです。

実は、私たちは普段から私たちのストーリーを話しています。家族や仲間で集まったときに「あのときあんなことがあった」と話しますよね。そんな話をすると一体感が高まりませんか？　効果的に語れるようになれば、聞き手に一体感を生み出し、みんなで一緒に行動しようという勇気を与えることができます。

行動のストーリー――今行動する理由を示す

「これまでやってきたことをおさらいすると、**私のストーリー**の目的は、同じ学年の子たちにカナメに共感してもらい、一緒に行動したいと思ってもらうこと。**私たちのストーリー**の目的は、同じ困難を乗り越えた経験を思い出すことで、みんなに一体感を持ってもらうこと。これで土台はできたよ。最後は、行動を呼びかけることが必要。そのために話すのが**行動のストーリー**だよ」

「自由な昼休みがなくなった話をするの？」

「そう。今起きている大変な、そして急いで対応するべき**緊急な困難**について話して、こうすれば変わるかもしれないという**道筋**を示し、みんなで一緒に始めたい**アクション**を語るの。道筋を示したり私たち自身の力を思い起こしたりすることで、**希望**を感じてもらうことが大事（**図2・4**）。まず、**緊急な困難**について考えようか。昼休みがなくなった学校で今、何が起きてるの？」

図2.4 行動のストーリー

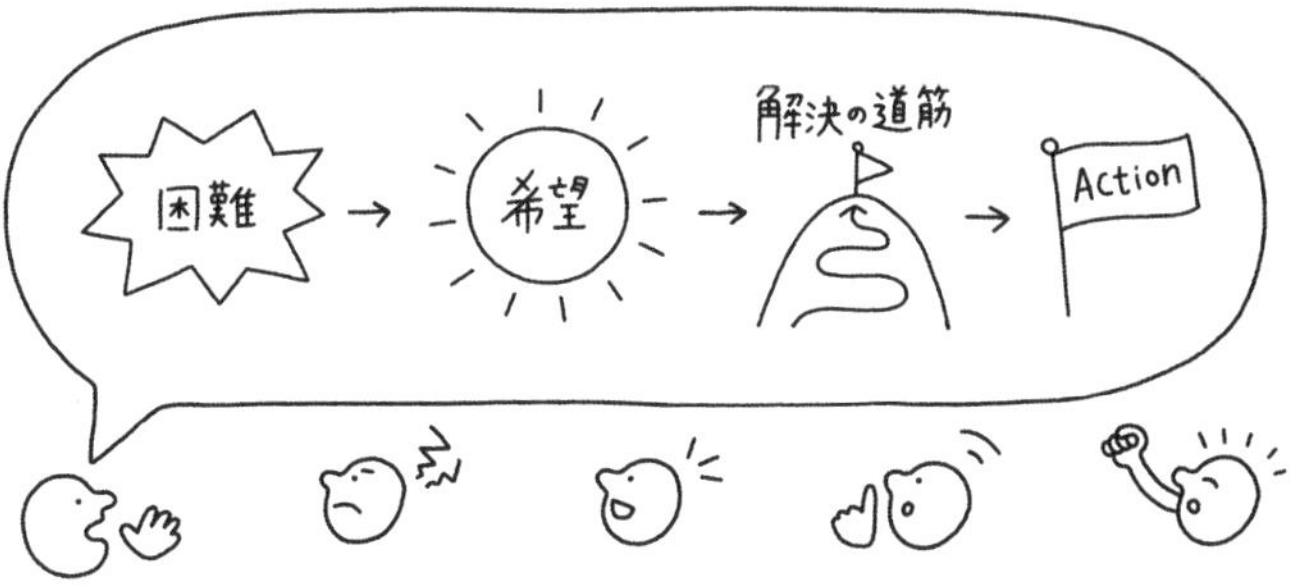

「昼休みのとき、みんなが下を向いていたり、ぼーっとしていたり」

「もっと具体的に。下を向いてるって何をしてるの？」

「サッカーをしたい子は紙で作ったボールを足で蹴ったりしてる」

「それ誰？」

「タケル」

「いいね、具体的に話そう。他にはみんなどんな感じなの？」

「リンはいつも明るくて、昼休みはよく『ゴム跳びしよう』って誘ってくれてた。私運動苦手なんだけど、リンは優しくて跳びやすくしてくれるの。でも、今は昼休みのリンは目が死んでるっていうか……」

「タケルやリンを見て、どういう気持ちだった？」

「いつも元気な子たちがこんなに元気なくなっちゃうなんておかしいと思った。私は本を読むのは好きだけど、無理やり読まされるのは嫌だし」

「その、『おかしい』という怒りの気持ちは、行動を起こすときには大事だよ」

「そうなの？　『楽しい』じゃなくて？　遊びにいくのは楽しいからだよ」

「それはそうだね。でも、今回カナメが私のところに来たのは楽しいから？」

「いや、おかしいから。怒ってるから」

「人はいろんな感情で動くけど、怒りは行動を起こすのにとても大事な感情。カナメが友達に話をするときに、その感情を持ってもらえるように話すのが大事」

カナメが挙げた「楽しい」という気持ちは、**道筋**や**アクション**を考えるとき意識するといいかもしれない、とユキさんは続けました。立ち上がるきっかけは怒りでも、行動は楽しそう、やってみたいと思えるものがよい、ということです。

「次に**道筋**を考えよう。みんなで一緒に教頭先生に話をする、とカナメは言ってたけど、それでいいのかな？　それで簡単に昼休みが元通りになると思う？」

「……」

「実際に何をすると効果があるか、戦略を立てないといけないね。カナメ一人で考えるのではなくてみんなで一緒に考えたらどうかな？　ウサギの事件をうまく乗り越えたように」

「そっか！　たしかにあのとき、みんなで何をするか考えて、うまくいったんだ」

「みんなの成功体験や経験を思い出してもらえれば、**希望**を持ってもらえるよ。それが行動を呼びかけるときに大事。できるかも、と思えないと人は動かないから」

「そうだね！」

「よし、**道筋**と**希望**は語れそうだね。じゃあ呼びかける**アクション**は？」

「『みんなで考える』でしょ？」

「そうだけど、みんなが集まる機会を設けないと。バラバラに考えてても効果がないよ。いつ、どこに集まる？」

「うーん、木曜日は五時間で授業が終わるから、その後。場所はカナメの教室かな」

「よし。友達にちゃんと来てもらうためには何をする？」

「みんなに声をかけて頼んだらいいんじゃない？」

「カナメが一方的に話すだけだと来ないかもよ。来るかどうかしっかり確かめて」

「じゃあその場で、来れるかどうか聞いてみるよ」

「いいね。その場で言えない子はどうする？」

「カナメに水曜日までに手紙とかでもいいから連絡してって言う」

「いいね！」

「あと、楽しくするために『秘密会議』って言ってみる！」

「ナイスアイディア！」

▼行動のストーリーとは

私たちの日々は忙しいものです。仕事、家事、子育てに追われ、たまの空き時間はゆっくり休んだり趣味を楽しんだり、友達や家族との時間に使いたい。そんな中で、社会に働きかけることは後回しにされがちです。そこで**行動のストーリー**が重要です。「いつやるの？　今でしょ！」という受験予備校の講師が語った昔の流行語はよい例です。**緊急な困難**を語り、期限が差し迫っていること、今行動する必要性を語るのです。

人を行動に動かす原動力は「怒り」です。日常生活で感じる怒りではなく、「社会に対する怒り」。この社会はおかしい、このままでいいのか、という気持ちです。人は怒りで社会に変化を起こす行動に動いていくのです。ポイントは**緊急な困難**を語ること。かの有名なキング牧師のスピーチ「私には夢がある」には、黒人への人種差別をこれ以上放置してはならないと語る前段があります。そうした「緊急な困難」が「怒り」を呼び起こし、人を行動に駆り立てます。その上で、怒りに任せて行動するのではなく、課題を解決できるという**希望**と、そこに至る「**道筋**と**アクション**」を示すことが大事です。

行動のストーリーでは、最後に必ず「私と一緒に○○してください」と、聞き手に行動を求めます。聞き手が各個人でする行動ではなく、全員が一緒にすることで効果が生まれる行動を語ります。「○月○日にこの課題を話し合うミーティングを行います。皆さん参加してください」「全員で○○役所に制度の導入を求めるハガキを送りましょう」などです。

三つのストーリーを重ねるパブリック・ナラティブ

「これまで考えてきたストーリーをつなげることで、話すべきストーリーが完成するよ」

「三つをつなげるの？」

「そう。行動を起こすには、つまりリーダーシップをとるには、私、私たち、行動の三つが大事なの。それぞれのストーリーを別々に語ることもできるけど、三つの話を重ね合わせることで、みんなに行動を促す話ができるよ（**図2・5**）」

「でも三つの話は別々の話だよ。ひとつのストーリーになるの？」

「ひとつの話にするには共通の糸みたいなものが必要だね。三つに共通する糸は何かな」

「えー、わからない」

「大事にしている想い（価値観）で共通するものは？」

「うーん、いろんな想いがあるよ」

「ストーリーから伝わってくる想いは一つではないよね。その中で共通する想いがある？」

「諦めないとか」

「いいね！　カナメは黒板に絵を描くことを諦めなかった、五年生はウサギを諦めなかった、だから自由な昼休みが奪われても諦めない、だね」

「そっか！　つながった！」

「三つのストーリーは順番を入れ替えても、あちこちに出てきても大丈夫。家に帰って整理して、明日友達に話してみたら？」

「うん、そうする！」

「何人に話す？　何人に話し合いに来てもらいたい？」

「五人くらい？」

「五人に話したらみんな来てくれる？」

「そうでもないかも」

「じゃあ何人に話しかけたらいいか

図 2.5 パブリック・ナラティブ

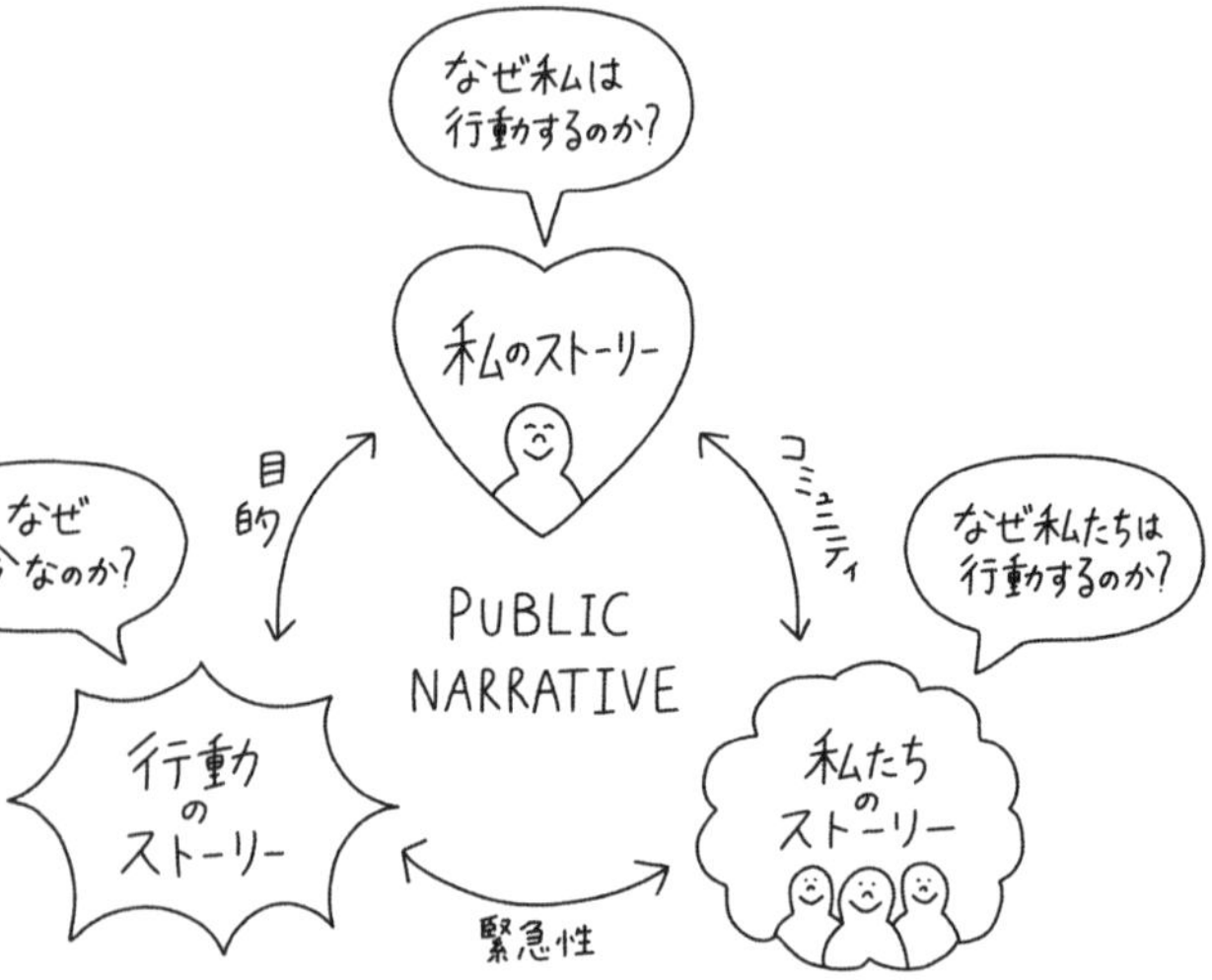

な？」

「一〇人かな」

「誰に声をかける？」

「サクラ、マイ、タケル、ユウト……」と具体的な名前を挙げるカナメ。

「休み時間でできそう？」

「うん、休み時間もあるし給食の時間も話せるし！　学校の帰りも」

「いいね！　じゃあ、結果を聞かせてね」

「ありがとう、ユキさん！」

カナメの胸は、できそう！　という希望でときめいていました。

▼パブリック・ナラティブとは

「不確実な状況下で他者の力を引き出す」ことが、コミュニティ・オーガナイジングで求められるリーダーシップです。そのためには、自身の**私のストーリー（Story of Self）**を語って聞き手と心でつながり、聞き手と共有する価値観や経験を**私たちのストーリー（Story of Us）**として語ることで一体感を作り出し、今行動する必要性を示す**行動のストーリー（Story of Now）**を語ることが必要です。これら三つのストーリーがつながったものを「パブリック・ナラティブ」といいます。

三つのストーリーをつなぐのは共有する価値観です。土台は**私のストーリー**にありますが、考えるときには**行動のストーリー**から始めてもいいでしょう。ストーリーを語る順番に決まりはありません。三つのストーリーを見直して、一つにつないでいきます。

パブリック・ナラティブでは最高の「スピーチ台本」を作ることを目指していません。いつ、いかなるときでも、目の前の人と共に行動していけるようストーリーを語れる「技（わざ）」を高めていくことを目指します。

第3章 関係構築

価値観でつながる

二日後の木曜日の夕方、カナメは重い足取りでユキさんの家に向かっていました。目標の一〇人には届かないものの八人と話して、放課後には五人が「秘密会議」に来てくれましたが、話し合いはさんざんでした。みんな昼休みは自由にしたいと思うものの、児童会を通じてやるべきだというハヤト、お母さんやお父さんにお願いすべきだというリン、みんなで勝手に外に遊びに行っちゃおうというタケル。三人で言い合いになり、マイとサクラちゃんはほとんど一言も話しませんでした。

「ユキさん！　今日みんなで話し合ったよ！　でも全然うまくいかなかった……」

「待って！　まず、みんなを秘密会議に誘えたんだね。何人来たの？」

「五人」

「おー、目標達成したんだね。おめでとう！」

「めでたくないけど……」

「社会運動は小さな成功を祝っていくのが大事なんだよ。メンバーを誘えたお祝い！」

ユキさんはケーキを出してきました。落ち込んでいたカナメでしたが、意外にもお祝いをしてもらえて、戸惑いながらも気分がよくなってきました。

一も二もまずは振り返り

ケーキを食べながら、パブリック・ナラティブを使って語りかけたときのみんなの反応を振り返りました。

「うまくいったことは何？」

とユキさん。最初は疑いの目で見ていたハヤトの目が**私のストーリー**を聞いたときに変わり、話すにつれてどんどん輝いてきて「一緒にやろう」と言ってくれたことや、あまり遊んだことのないタケルも**私たちのストーリー**と**行動のストーリー**を話したときに、「たしかに、ウサギ事件も乗り越えられたんだから、何かできるかもね」と前向きになってくれたことを話しました。

「いいね！　では、うまくいかなかったことは？」

カナメは、うまく誘えなかった友達のことを話しました。時間がなくて焦って話したら、友達がちょっと引いてしまい、どうしたらいいかわからなかったのです。振り返ると**行動のストーリー**は話したけど、**私**と**私たちのストーリー**は話していなかったことに気づきました。

「三つの話をすることが大事だね。最後に、ストーリーを話してみて、学んだことは？」

カナメは、話す内容が違うだけでこんなに反応が違うということ、細部を語っていくとみんなの表情が変わって、心が動いているのがわかったことを挙げました。

「いい振り返りができたね。アクションをしたあとには必ず振り返りをするの」

「なんで？」

「振り返りに真の学びがあるから。コミュニティ・オーガナイジングは、何でも知ってるすごいリーダーが指示してやることじゃなくて、学びながら行動する人のものなの。今日振り返りをするのと、しないのとでは、どう違うかな？」

「なんで失敗したのかわかってスッキリした」

「そう。失敗からしっかり学ぶことで次に活かせるよね。それに人はつい失敗ばかりに目を向けがち。でも、うまくいったことからもたくさん学べる。だから振り返りは、①うまくいったこと、②改善したいこと、③学びの順番でやるといいよ」

▼学びを得る「振り返り」とは

コミュニティ・オーガナイジングでは会議の最後、イベント開催などのアクションをした後などに必ず「振り返り」をします。会議のときは終了前に一〇分程度時間を取りますが、イベントなどのアクションの後は一時間以上、時間を取ることもあります。大きなキャンペーンをしたときは半日以上取ることもあります。なぜそんなに振り返りをするのでしょうか？　それは「学びながら行動し成長する」のがコミュニティ・オーガナイザーだからです。

振り返りは次の三つの点を挙げていくように意識するとよいと思います。

- **うまくいったこと**……その会議やアクションでうまくいったことを具体的に挙げます。議事の組み方がよかった、役割分担がうまくいったなど。うまくいったことを認識できることで、引き続きそれをやる、もしくは更に発展させられます。
- **改善したいこと**……うまくいかなかったこと、改善したほうがよいことを具体的に挙げます。ポイントは必ず「うまくいったこと」から始めることです。人はできていることがたくさんあるのに、どうしてもできていないことの方に目が行きがちです。謙遜しがちな人は特にそうでしょう。そして「ダメだし」ではなく、こうするともっと良くなるという改善案を出すなど、建設的に話せるとよいでしょう。
- **学び**……あなたやその仲間は会議やアクションの間でさまざまなことを学んでいるはずです。あの人のこういう司会の仕方がよかった。この人のストーリーの語り方は学びになった。できるだけ具体的に学びをシェアすることで、チーム全体の学びも深まっていきます。

強いチーム（組織）作りに欠かせない関係構築

「さて、ミーティングがうまくいかなかったのは残念だったね。なんでだと思う？」

カナメはちょっと考えてから答えました。

「みんな意見がバラバラだった。言い合いになっちゃって」

「人によって意見が違うのは当たり前だよね。言い合いになる原因はなんだと思う？」

「うーん、みんな同じクラスだけど五年生になったばかりで、今まで違うクラスだったから、お互いのことよく知らないというか、相手の言うことを信じられないというか」

「そうか。一言も話せない子もいたんだよね。なんでかな」

「やっぱり、みんなとそんなに仲良くないから、言い合いが怖かったんだと思う。新しいクラスになったばかりだから一緒にするのは無茶なのかなあ」

「そんなことないよ。人とのつながりは作っていけるものだから。ミーティングがうまくいかなかった原因は、お互いのことを良く知らない、ということなんだね。お互いのことをよく知り合っていく必要があるのかなと私は思うけど、カナメはどう思う？」

「うん、そう思う」

「じゃあ、どうしたらできるか学んでいこう。強いチームを作るには、お互いをよく知り合いつながりを作ること（関係構築）が大事だよ」

人とのつながりを作る「超重要材料」は？

ユキさんによる「関係構築」の講義がはじまりました。

「カナメはどんなときに友達と親しくなったと思う？」

「好きな食べものや遊びが同じだったとき。同じことで悩んでいるって知ったとき」

「いいね、気になることが一緒だということだね（**共通の関心**）。他にも思いつく？」

「私がハヤトに**私のストーリー**を話したとき、ハヤトも『今の学校の自由なところが好き』って言ってくれて、同じ想いなんだとわかって嬉しかった」

「おお、大事な想いが一緒だったんだね（**価値観の共有**）。ハヤトと想いが同じとわかったときどんな気持ちだった？」

「なんか嬉しかったし、『あー、一緒だ！』って心が熱くなったよ」

「そうね。関係を作るには、まず大事な想いが同じと思えること（**価値観の共有**）が大事。それが土台になる。昼休みの読書の時間をやめたい、と思っている子でも、根っこにある想いが『読書より算数が大事』とか、カナメと違うものだったら、活動してもバラバラになっちゃう。その子は『昼休みは読書でなくてドリルをしよう』と言うかもしれないもんね」

「たしかに」

「ハヤトとカナメが持てたつながり（価値観の共有）を、みんなとも持てるとどうなるかな？」

「みんな一緒に何かしたいと思う！」

「何か」を交換すると関係が強くなる

「もう一つ質問、今までカナメは、一人ではうまくいかなかったけど友達とやってうまくいったことはある？」

「森の木の上に秘密基地を作ったときかな。最初は一人で作っていてうまくいかなかったんだ。そしたらハルが通りかかって。よく知らない子だったけど誘ってみたの。ハルは背が高いから材料を運ぶのが楽になったし、落ち葉ほうきを持ってきてくれたから落ち葉のクッションが作れたよ」

「楽しそう。ハルとの関係はどうなったの？」

「最初は知らない子だったけど、基地を作り終わった時には、すごく仲良くなってた！」

「カナメとハルは『気になること（**関心**）』と『持っているもの（**資源**）』の**交換**をしたんだね（**図3・1**）」

「何それ？」

「大事な想いが一緒（価値観の共有）だと思えたら、お互いの気になること（**関心**）を知り合っていくの。一番いいのは二人がやりたいと思えること（**共通の関心**）を見つけること。そ

図3.1 資源を交換する

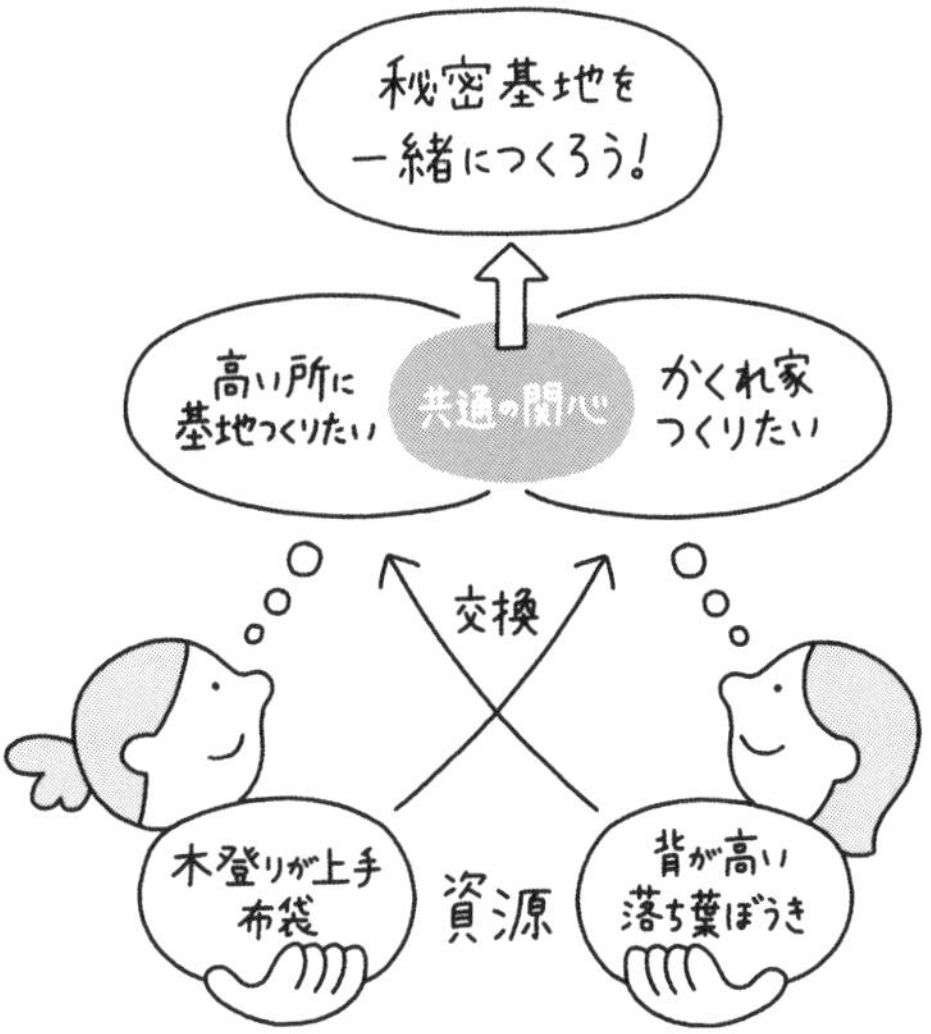

うしたら一緒に活動できるでしょ。たとえばハルに、別の場所で自分だけの基地を作りたいから手伝ってと言われたらどう？」

「自分だけの基地を作れていいな、と思うかも。でも、なんで私が手伝わなきゃならないのって思うな」

「ハルに使われている気持ちになるよね」

「うん、やだ」

「使う・使われるの関係ではなく、二人がやりたいこと（**共通の関心**）に向かって、お互いの持っているもの（**資源**）を出し合っていくと、人とのつながりが強くなるの。さっきの話で、ハルのできること、持っているもの（**資源**）はなんだっけ？」

「背が高いから材料を高いところに運べた。落ち葉ほうきも持ってきた」

「カナメのできること、持っていたもの

は？」

「木に登るのが得意なことと、クッションが作れる布袋」

「秘密基地を木の上に作るという、二人のやりたいこと（**共通の関心**）」に向かって、お互いのできること、持っているもの（**資源**）を**交換**し合ったから、ハルとカナメは仲良くなったんだね！」

「そういうことか！」

▼人と強いつながりを作る関係構築とは

上下関係のない、雇用関係のない中で共に仕事をする経験をしたことはありますか？　ボランティア活動、サークル、勉強会、イベント開催などがありますが、そういう活動を成功させる上で鍵になるのが「人との関係構築」です。では、社会を変えようとする行動を起こすとき、どんな関係が必要でしょうか？

社会変化を起こすには、まず人々と「こんなことが大事、こんな社会を見たい」という想い、つまり**価値観**を共にすることが大事です。価値観が共有できたら、共通の「これに取り組みたい」という**関心**を見つけ、それに向かってお互いの持つ**資源**、つまり「スキル、エネルギー、時間、人脈、もの」を出し合い（**交換し**）ながら、一緒に取り組んでいきます。たとえば、「出産後も復職しやすくなる就職支援活動」に取り組むとき、Aさんはキャリアカウンセラーのスキルを、Bさんは復職を求める女性の人脈を使って協働するという具合です。このように**共通の関心**のためにそれぞれの資源を**交換**して動いていくと関係が深まります。

では、**共通の価値観**、**共通の関心**、**資源**を見出すためには何をすればよいでしょうか？　これから見ていきましょう。

一対一で話すのはコミュニティ・オーガナイザーの基本

「コミュニティ・オーガナイザーにとって一番大切なのは、一対一で話すことなの」

「なんで？」

「コミュニティ・オーガナイジングは一緒に行動するコミュニティを作っていくこと。コミュニティを築くには、個人と個人のつながり（**関係**）が必要不可欠なの」

「集まるだけではスイミーにはならないんだ」

「うん。同じ想いを持って、同じ方向に泳いでいくことが必要。そのためにオーガナイザーは一対一で話してつながりを作る。活動する仲間同士も一対一で話すことが大事だよ」

「そうか。私はハヤトとはつながりができた気がするけど、他の子たちとはできてなかった。だから話し合いがうまくいかなかったのかな」

「そのとおり！　やり方を練習して、みんなとつながりを作れるようになろう」


一対一で話すとき、お互い知り合うことが大事

「一対一で話すときは、こういう流れで話すとうまくいきやすいよ」

ユキさんはそう言いながら紙に五つのポイントを書きました（**図3・2**）。

①ツカミ（注意を引く）
②話す目的を言う（興味を持ってもらう）
③探求する
④交換する
⑤お互いに約束しあう（確約、コミットメント）

▼**①ツカミ（注意を引く）**
「**ツカミ**って、お笑いみたい！」

図 3.2 意図に基づいた関係を構築する

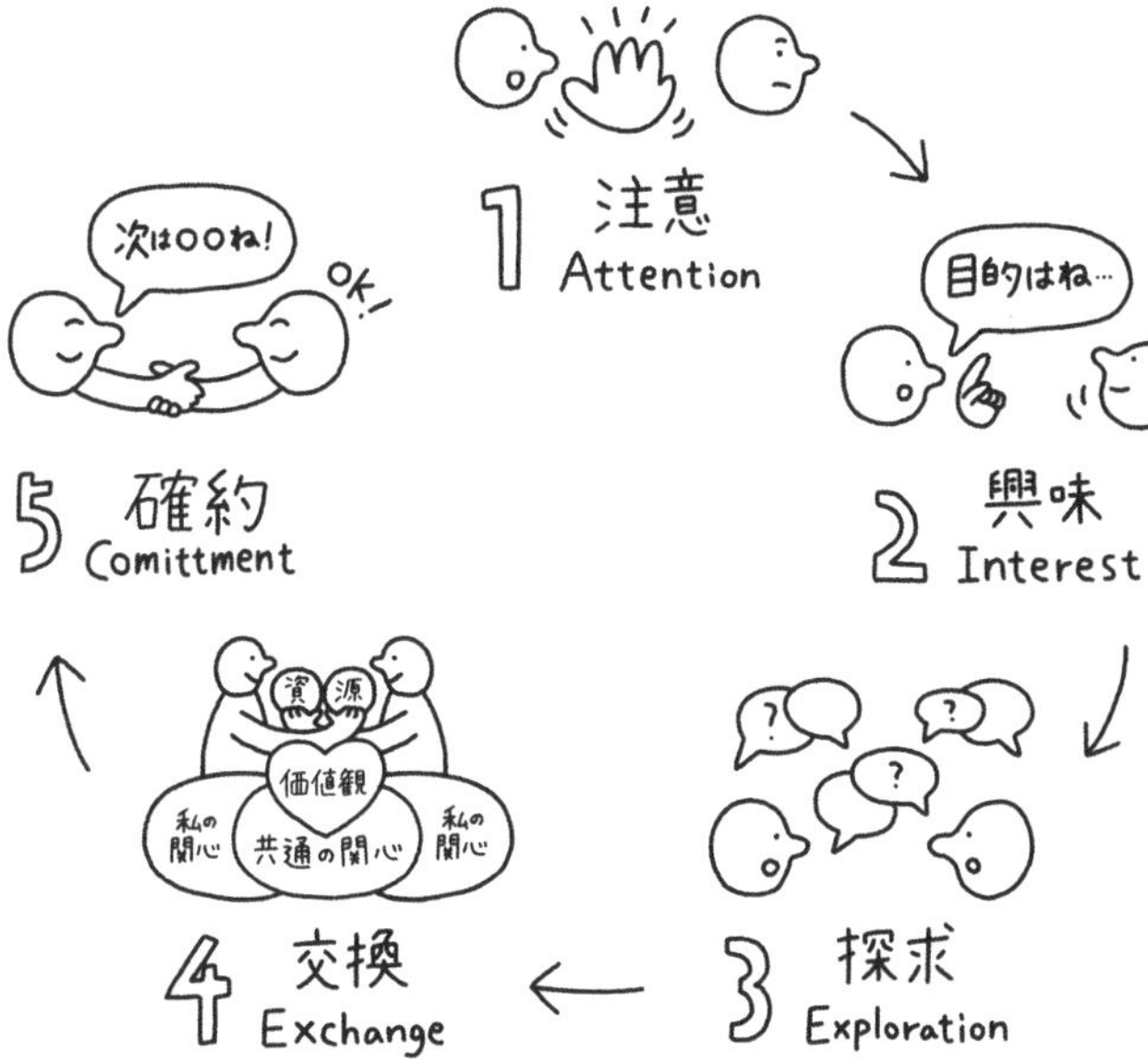

「そう。お笑い芸人はお客さんの注意を引きつけるために面白いこと言うでしょ。カナメも、自分に注目してもらわないと」

「なんで？」

「学校の休み時間は一〇分ぐらいしかないよね。みんな遊びたいし、友達と話したいんじゃない？　その時間を割いてもらうには自分に注目してもらわないと」

「たしかに。でもどうやって？　カナメ面白いこと言えないよ」

「面白くなくても大丈夫。いろんな方法があるよ。たとえば、昼休みがなくなったことにすごく怒っている子だったら、カナメも怒ってると言ったり、〇〇君にあなたが怒ってると聞いたと言ったり」

「ふうん。たしかにそんなふうに話しかけたら、無視はされない気がする」

▼**②話す目的を言う（興味を持ってもらう）**

「ツカミができたら、②の**話す目的を言う**よ。カナメはオーガナイザーとして話すのだから、話すことで達成したい目的があるはず。たとえば私、この前、隣の家のおばさんと一対一で話して近所の孤独死をなくすにはどうすればいいか話そうと思ったんだけど、目的を言わなかったら、三時間話したけど世間話しかしなかったの」

「えー、ユキさんオーガナイザーでしょ」

「そう、でも失敗するんだよ。失敗から学ぶの」

「そうだね」

「それで次のときは、私はおばさんに孤独死の問題を話したいし、おばさんのことをもっと知りたいと話したらうまくできたよ」

「失敗から学んだんだね！」

「うん。一対一で話すのは相手のことを良く知りたいし、カナメが気になることについて話したいからだよね。だから、それをかいつまんで言えばいいんだよ」

「わかった！」

カナメはノートを取り出して、ツカミと目的と書きました。

▼③探求する

ユキさんは続けます。

「一対一で話すときにもっとも大事なのが、③の**探求**。探求は探し求める、という意味ね。何を探すんだと思う？」

「……」

「何が関係を作るんだっけ？」

「二人のやりたいこと（**共通の関心**）、お互いのできることや持っているもの（**資源**）、大事な想いが一緒なこと（**価値観の共有**）」

「そうだね！　まず大事な想い（**価値観**）を探るには何をするのがいいと思う？」

「えー、わからない」

「カナメのストーリーを作るとき、私は何してた？」

「たくさん質問してきた！」

「そうだね。どんな質問だった？　特に**私のストーリー**のとき」

「カナメにとって昼休みを自由にすることがなぜそんなに大事なのか、しつこく聞いてきた」

「そう。その問題がなぜその人にとって大事なのか、〈なぜなぜ質問〉を繰り返すの。その人の人生の経験が出てくるまで」

「人生の経験？」

「人が何かを気にかけるのは、人生でそれが大事だと思う経験があったからなんだよ。だから、その経験を聞き出すの。その価値観を最初に学んだ経験。カナメは自由が大事と思っていた、だから私はなぜカナメが自由を大事にするようになったのか何回も聞いたの。聞かれてどんな気持ちだった？」

「うーん、うまく答えられないから困ったけど、でも私の大事な部分を知ろうとしてくれているんだと思って、なんか嬉しかったよ」

「よかった。質問してあげることで、その人の**私のストーリー**ができてくるね。そこで大事なのは、カナメも自分の**私のストーリー**を話すこと。質問するだけじゃインタビューになっちゃうからね。カナメのことも知ってもらわないと」

「そうか。カナメも**私のストーリー**を話すと、同じ想いを持ってるって伝わるね」

「そう。質問だけしても関係は作れない。七割くらいは相手に話してもらうけど、自分の話もしっかりできるように準備する。そうやって価値観を共有するの」

「なるほど」

「次はやりたいこと、気になること（**関心**）を探ります。どんな質問がいいかな」

「『どんな遊びが好き?』とか」

「そうね、それもいいけど、話す時間は限られているから、絞ろう」

「じゃあ、『昼休みがないことどう思う?』『どうすればいいと思う?』とか」

「いいね！　いろんな関心の探り方があるね」

▼④交換する

「じゃあ、それぞれができることや持っているもの（**資源**）を聞き出すには?」

「急に『どんなことできる?』と聞かれてもわからないよね」

「そうだね。たとえば、学校以外でどんな活動をしているのか聞いてみるとか、その人が得意なことを聞いてみてもいいかもよ。何でも役に立つ可能性があるから」

「そうか！」

「探りながら、二人がやりたいこと（**共通の関心**）を見つけていくの。たとえば『秘密基地を一緒に作る』みたいにね」

「たしかにハルとも最初ちょっと話した。それでお互いに隠れ家みたいにできる基地がほしいと思っていることがわかったの」

「そうなんだ！　そのお互いにやりたいこと（**共通の関心**）を実現するために、自分たちの持っているもの（**資源**）がどう使えるかを話し合うと、一人ではできなかったことができる気がして、ワクワクしてくるよ」

「たしかに！」

「お互いの持っているものを出し合うとできそう！　と話してワクワクするのが④**交換する**だよ」

▼⑤**お互いにしっかり約束しあう（確約、コミットメント）**

ユキさんもワクワクした顔をしながら、さらに話します。

「もしそのとき、ハルとすぐに秘密基地作りはせずに『また今度ね』ってお別れしていたら、秘密基地はできたと思う？」

「できないかも。ハルとは住んでる場所もクラスも違うからあまり会わないの」

「そうだね。ワクワクしても、次に会う約束をしないと、つながりは深まっていかない。つながりを続けていこうね、と『しっかり約束する』ことが大事。これをコミットメントといいます」

「約束し合うってこと？」

「そう。約束より強くて『強い約束』という感じ。ここまでできたら、関係づくりが一歩前進したことになるよ」

ユキさんはそう言って、それから二人で次に何をするかを考えました。

カナメの次のアクションは、まず今回来てくれた五人と一対一で話すこと。そのとき次の木曜日にユキさんの家に集まる、という約束をすること（コミットメント）にしました。チーム作りをする上で、みんなにもユキさんとの話に加わってもらう方がよいと考えたのです。

▼一対一ミーティングの五つのステップ

忙しい相手に関心を持ってもらうための①**ツカミ**、雑談で時間を終えないために②**話す目的を言い**、共有する価値観、関心、資源を③**探求し**、関心と資源を④**交換し**、次にお互いがすることを⑤**コミットメントする**のが一対一ミーティングの流れです。

最後のコミットメントが関係を続けていくために最も重要になります。

一対一ミーティングはオーガナイザーにとって肝となるものなので、「べし・べからず集」を作ってみました。

するべし!

- アポを取る(三〇分から六〇分、相手にも集中して話してもらうため)
- 何を質問するか考えておく
- 五つのミーティングステップを守る
- 相手の動機の深いところを探り、あなたのストーリーも共有する(価値観を得た原体験を探り、あなたは**私のストーリー**を語る)
- 共通の関心を探り、ビジョンを共有する
- 次の約束を明確にしてミーティングを終える

するべからず!

- ミーティングの長さと目的をあいまいにする
- 相手のことを理解するのでなく、説得しようとする
- 雑談でミーティング時間を終える
- お互いのことを知らずに、すぐ要点に入る
- 次の約束があいまいなままミーティングを終える

もちろん、相手と価値観が共有できないと感じたら無理にコミットメントを取る必要はありません。そのときは、違う形で将来一緒に何かできるかもしれませんから、相手に敬意を表して、連絡先を交換して終わりにしましょう。

自転車に乗るために本を読むか?

次のアクションが決まって満足したカナメが「そろそろ帰ろうかな」と言うと、ユキさんがすかさず言いました。「まった! 練習しないと!」

「練習?」

「カナメ、自転車乗るよね? 乗り方を説明されただけでできた?」

「いや、できなかった」

「自転車〝学〟の乗り方の本とか読んだ?」

「ハハ、そんなのあるの?」

「じゃあ、どうやってできるようになった?」

「公園で何回も練習した。何回も転んで、続けてたら乗れるようになった」

「コミュニティ・オーガナイジングも一緒。これは技だから、練習しないと。私との練習だけでなくて、五人と話すのも練習だと思って。何回もやる中でうまくなっていくの」

その後、カナメはユキさんを相手に一対一で話をして、相手の価値観、関心、資源を探って、価値観を共有する、同じ関心を探し出す練習をしました。家に帰ってからお父さんにも練習相手になってもらいました。お父さんはカナメのなぜなぜ質問に戸惑いましたが、最後に「カナメのおかげで、忘れかけていた大事な想いに気づいたよ」と笑顔で言ってくれました。

▼一対一ミーティングの効用

二人で深く話すことは関係を築くことに有効ですが、もう一つ大事な効用がありま す。カナメのお父さんが経験したように、「何が自分にとって大事なのか」を思い出すことです。人は日常の忙しさの中で本来自分が何を大事にして生きていきたいか、忘れてしまったり、考える時間をとれずにいたりするものです。しかし、必ず一人ひとりに大切な価値観があります。一対一ミーティングで「何が気になるの？　それはなぜ？　いつから気になるの？」と聞かれることで、それを思い出すことができるのです。自分がその価値観を得た原体験や、自分の軸が確認できると、日常の忙しさに流されず、自分が本当に取り組みたいことを優先できるようになります。

第4章

チーム構築

三つの成果、三つの条件、三つの決めごと

チーム構築の基本は関係構築

木曜日、カナメと四人のクラスメイトがユキさんの家に集まりました。ハヤト、タケル、リン、マイ。初めはちょっと緊張した面持ちでしたが、お菓子を食べ、ジュースを飲んでリラックスしてきた所で、ユキさんはカナメにたずねました。

「そういえば先週は六人で集まったと言ってたけど、今日は五人なんだね」

「うん。サクラはバレエの発表会がもうすぐだから来れないって」

「OK。こういう活動は、みんな普段の生活の合間をぬってやるから、習い事や勉強を優先しなくちゃならないこともあるよね。人の入れ替わりがあるのは普通なんだよ」

「そっか！　ちょっと残念だったけど、よかった」

「だからこそ、常に新しい人が参加できるようにすることが大事。それにさまざまな関わり方ができるようにしたほうが、多くの人が参加してくれる。サクラちゃんはもしかしたら、中心メンバーは無理でも、カナメたちが決めたアクションには参加してくれるかも」

「たしかに、できることがあったら言ってね、と言ってくれたよ」

「いいね！　では早速この五人でチームを作っていこう！」

ユキさんはみんなに聞きました。

「みんなお互いのことはよく知ってるのかな」

リンがさっと答えます。

「知ってる子と知らない子がいるよ。クラス替わったばっかりだし」

「みんなカナメが一対一で話しかけてきたの覚えてる？」

「うん、一杯質問された！」

ハヤトは笑って言いました。ユキさんも笑いながら提案しました。

「そうそう、それをみんなでやろう。ペアを組んで」

ユキさんは一対一ミーティングのやり方を説明し、カナメと二人でお手本も見せました。それからみんなをペアに分け、聞く役（オーガナイザー役）と話す役を決めました。

「じゃ、今から一〇分間、二人で話してみて」

一〇分後に役割を交代。全員と一対一で話したあと、五人が共通して持っている大事な想い（**共通の価値観**）、やりたいこと、気になること（**共通の関心**）、持っているもの（**資源**）をみんなで出し合い、紙に整理しました（**図4・1**）。

ユキさんは続けます。

「こういう風に、お互いのことを知っていくのがチーム作りの基本だよ。じゃあ、〈大事な想い〉の中で、特にこれがいいな、と思う言葉はどれ？」

「自由！」

「のびのび！」

と子どもたちは口々に言い、ユキさんはその言葉を丸で囲みます。

「自由やのびのびという言葉がみんなの心に響くんだね。じゃあ〈関心〉は？『ボール遊び』と『昼休み』の二つが挙がってるけど、これは絞れるかな？」

「ボール遊びできる場所は増やしたいけど、そもそも昼休みが自由でないと遊べないから、昼休みかな」

とタケル。みんなも賛成し、ユキさんは昼休みに丸をしました。

「みんな、メンバー全員と大事な想いでつながってるって感じられる？」

リンは目を輝かせながら言いました。

「うん、私たちいつもボール遊びする場所と鬼ごっこする場所の取り合いをしてたけど、実はどちらも自由

図 4.1 価値観・関心・資源を整理する

大事な想い♡	気になること	持っているもの
・自由が大事	・昼休みが自由でない	・絵がうまい（カナメ）
・のびのび	・ボール遊びできる場所がない	・先生に話せる（ハヤト）
・友達が大事		・男子の友達が多い（タケル）
		・女子の 〃 （リン）
		・文章書くのが上手（マイ）

にのびのび過ごしたいんだなって。私たちは敵じゃなくて、昼休みに校庭で遊びたいのは同じ。だから昼休みが元通りになるように一緒に活動していこう、となって嬉しかった」

「大事な想いでつながって、共通の関心も見つかったのね！」

▼お互いの動機の深いところを知り合うことが鍵

日本はヒエラルキー社会。一歳年が違う、入社年度が違うだけで敬語を使います。上下関係ができやすい中で、上の人が仕切り、下の人が従うチームでなく、水平なチーム、全員が主体的に動くチームを作るには「お互いの大事な**価値観**が何か、それはどういう経験（**原体験**）からきているか」を知り合うことが一つの鍵になります。

このためにはチームメンバー同士で一対一のミーティングをすることが最も効果的です。時間がなければ、メンバー全員がそれぞれの**私のストーリー**を話すこともよいでしょう。なぜ、このチームに参加しようと思ったのか？　メンバーのストーリーを共有し合うことで、共有する価値観も見えてきます。それが強いチームを作る元となるのです。

強いチームのトリプルスリーとは？

「よし、チームの土台となる関係ができてきたから、強いチームを作るために必要なことを話します。三という数字が三回でてくるよ（**図4・2**）。まず強いチームは三つのことができるのです」

ユキさんは奥の部屋からホワイトボードを出してきて話し始めました。

「**強いチームができることは三つ**あります。まず、①**ゴールを達成**できること。次に、②**チームワークがよくなる**こと。そしてメンバーがみんな③**リーダーとして成長する**こと。強いチームはこの三つができるの」

ユキさんは黒板に三つのポイントを書き、話を続けます。

「次に、強いチームを作るためには何が必要でしょう？」

「練習頑張るとか？」

「そう、そして練習を頑張れるように環境を整えないとね。みんながしっかり練習できる、つまり力を発揮できるチーム作りには**三つの条件**が必要って言われているの。一つ目の条件は**チームの境目がはっきり**してること。タケルはサッカーチームに入ってるよね。チームのメンバーは決まってる？」

図 4.2 強いチームのトリプルスリー

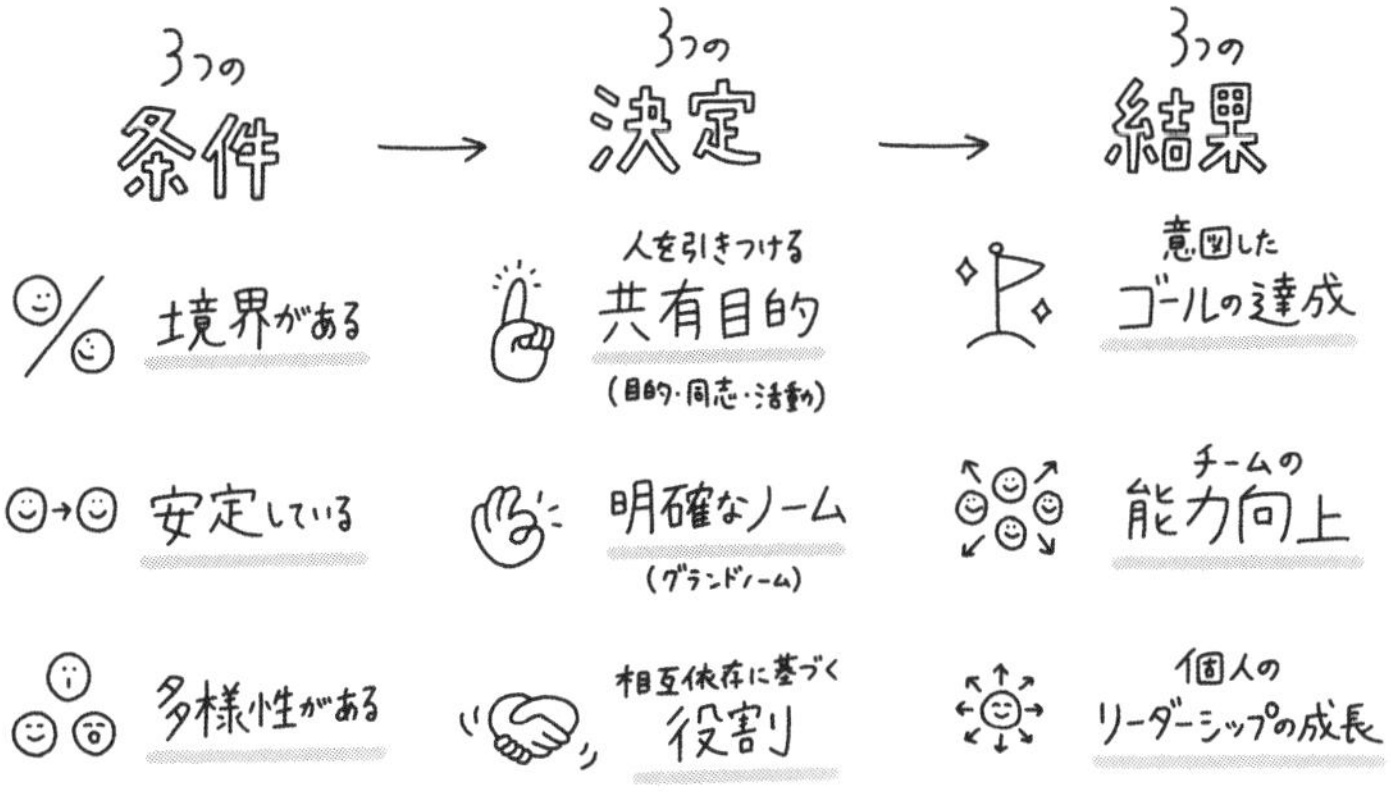

「うん、決まってる」

「毎回練習するチームメンバーが入れ替わったらどう思う?」

「うーん、去年、五年生が何人もやめて、人が足りないから他のチームと練習したり、毎週練習するメンバーが違うときがあった。同じメンバーで練習しないとチームワークがよくならないよ。違うチームと練習していると誰のための練習だかわからなくなって、やる気も出ないし」

「なるほど。その後どうなったの?」

「新しい子を誘いながら毎回同じメンバーで練習するようになってから、集中できるようになった。新しい子は最初の基礎練習は一緒にやるけど、その後はチームを分けて練習するんだ。新しい子が慣れてきたら一緒に練習するよ」

「そう。境目があることで、効果的に活動できるようになるよね。他の人を入らせないんじゃなくて、入るための決まりを作っておくの。新しいメンバーは基礎から練習できるようにチーム分けされるけど、同じくらいプレイできるようになったら経験者と一緒に練習できるようになっている。他の人が全然入ってこないチームは強くないからね。このようにチームの境目をはっきりさせるのが一つ目の条件」

ユキさんはホワイトボードに「境目がはっきりしている」と書きながら次に進みます。

「では二つ目の条件。タケルのサッカーチームは、レギュラーメンバーは決まってるの？」

「うん、練習にちゃんと来て、できることが増えるとレギュラーになれるよ」

「レギュラーメンバーは入れ替わりが多いの？」

「いいや。レギュラーと言っても八人じゃなくて試合に出られるメンバーなんだ。一度レギュラーになったら、ちゃんと練習にいけば抜けないよ。新しい人は入るけど」

「その試合に出られるレギュラーメンバーの入れ替わりが激しかったらどう思う？」

「パスワークとかコーナーキックとかは同じメンバーで練習しないとうまくならないよ。毎回替わると強くなれない気がする」

「そうだね、チームが**しっかり安定**していることが大事。安定するためにはメンバーが同じなこと、そして決まった時間に会い続けること」

「僕たち毎週土曜日の午後に練習してるよ！」

「とても**安定**しているチームだね！」

ユキさんは笑って「しっかり安定している」とホワイトボードに書きました。

「そして三つ目の条件。実はこのメンバーにその三番目のヒントが隠されてるよ。このメンバー、いつも一緒に遊んでる？　みんな似たような子たちかな？」

「……この五人で遊んだことはない」とカナメ。

「みんな似ているわけでもないよね」とハヤト。

「似ていないことはいいことなんだよ」とユキさんは言いました。「得意なこと、持ってることが違うということだから。みんな同じような子だったら、苦手なことを補い合ったり、いろんな仲間を集めたりするのが難しくなります」

「たしかに、タケルは男子の友達、リンは女子の友達が多いから活動が広がりそう。それにマイが文章書いて、私が絵を描いたらなんか面白そう！」

「そう、**多様なメンバー**が集まるとチームが強くなるんだよ！」

ユキさんは言いました。

「このチームは自由な昼休みを取り戻すための中心チーム、ということで**境目**がはっきりしていて、メンバーも替わらなければ**安定**するし、お互い似てない**多様なメンバー**がいるから、強いチームになれそうです。そして強いチームになるためには、チームを立ち上げるときに三つのことを決めるの」

「また三つ！」

「そう。それは、①**共有する目的** ②**みんなの約束（ノーム）** ③**役割**だよ」

▼強いチームのトリプルスリー

ハーバード大学で組織論を専門とした故リチャード・ハックマン教授は世界中の大企業からNPOまでありとあらゆるチームを調査しました。その結果、強いチームは三つの成果を生み出すこと、そのためには三つの条件が必要で、三つの決定をチームがすべきであることを見いだしました。

強いチームが生み出す三つの成果

①ゴールの達成……あらかじめ計画していたゴールを達成することができる。
②チーム能力の向上……時間が経つにつれてチームワークが向上し、より多くの人が参加し、リーダーシップを育む。
③メンバー個人の成長……チームに参加しているメンバー個人が活動の結果、学び成長する。

次に強いチームを生み出すための環境、三つの条件を整理してみましょう。

強いチームを作るための三つの条件

①境界があること……誰がチームメンバーであり、誰がメンバーではないか明確。新たなメンバーが参加する条件、チームを辞めなければならない人の条件が明確。

②安定していること……定期的に会う。行き当たりばったりの人々のグループではない。チームのメンバーは、ともに活動し、チームワークを学ぶに十分な期間、共に活動する。

③多様性に富んでいること……よい仕事をするために必要になるスキルや能力、視点、経験が適度に多様な形でチーム内にある。

そしてチームが強くなるために、チームは次の三つのことを決めなければなりません。

強いチームにするための三つの決定

①共有する目的を作る……メンバーで共有する価値観に基づいて、チーム共通の目的を明確にする。わかりやすく、チャレンジングで、そして人を惹き付けるもの。

②チームを自治するためのノーム（みんなで決めた合意事項という意味、「みんなの

約束」）を設定する……一緒に活動していくメンバー間の期待を明文化する。特に、意思決定の方法、時間管理の方法、議論の方法。もし、ノームが守られなかったら、どう正すか。

③役割を明確にする……全メンバーが、ゴールに到達するために必要なチームの仕事を分担し、責任を持つ。個々の強みや弱みをできるかぎり分析し、能力と役割の要件をマッチングする。役割は相互依存するように設計されることで、すべてのメンバーが他の人の成功に関わることになる。

最後の三つの決定はややイメージしにくいかもしれません。カナメたちがどうチームでこの決定をしていくかを通じて、理解を深めていきましょう。

「私たちの」と思える共有目的ってどう作る？

よし、と一声出して、ユキさんは姿勢を正して話し始めました。

「〈共有する目的〉から考えていこう。集まったばかりのチーム、これからどこに行くのか方向を決めなきゃいけないよね。方向が決まってないとどうなる?」

「みんな、好き勝手な方向に行っちゃう」とリン。

「そうね。じゃ、行く方向を誰か一人が決めたらどう思う?」

「ぼくが行きたい方向じゃなかったらいやだな」とタケル。

「そうだね。チームメンバーの想いと関心の共通するところ、みんながワクワクするところを見つけだして目的を作ることが大事」

するとハヤトが言いました。

「じゃあ、目的は、自由で公正な学校生活を実現するために昼休みの過ごし方を元通りにすること、だよね」

「ちょっと待って。その意見ももちろん大事なんだけど、決める前に、みんなが対等に意見を出し合うことが大事だよ」とユキさん。「今までの話し合いを見て、あまり発言してない人はいないかな?」

「あ……マイ」

「そうだね。マイは今日あまり発言していないけど、意見がないわけじゃないよね。話し合いをすると、声が大きい人の意見が中心になりがちだけど、コミュニティ・オーガナイジングではなるべくみんなの声を平等に出し合って決めていきたいんだ」

なるほど、とハヤトもみんなも頷きました。ユキさんは続けます。

「だから、今からみんな一人で目的を考えて。その後で一人ずつ発表しよう。①何のために、②誰と、③何をするのか、を考えて紙に書いてね。さっきわかったみんなの共通の価値観、関心、資源をもとに考えてみて」

数分後、全員が目的を書き終わり、順番に発表しました。ユキさんは発表された言葉を①何のために、②誰と、③何をするのかの三つのカテゴリに整理して、共通点やワクワクするところを探っていきました。それを踏まえてもう一度それぞれで目的を考えて、順番に発表しました。みんなの書いた目的が出そろったところで、ユキさんが聞きます。

「この五つの中で、チームの目的を最もよく表せていると思う文章はどれかな？」

すると、マイ以外全員が「マイの！」と答えました。

マイは「私のでいいの？」と驚きましたが、みんなの想いが一番よく表れている目的として、次の文章が選ばれたのです。

「私たちは、自由にのびのびとすごせる昼休みと学校生活をめざして、全校児童と共に、みんなの得意技を生かして、スイミーみたいに小さな力を合わせて大きな力を作ってアクションしていきます」

ユキさんは、目的はこの後も必要に応じて改良してもいいと触れた上で、「みんなで初めて一つのことを決めたね。おめでとう！」と笑顔で言いました。それから小さな成功を祝って、ジュースで乾杯しました。

▼人を惹き付ける共有目的とは

チームが立ち上がるときはもちろん、活動している最中もですが、「一体このチームは何するんだっけ?」と思うことありませんか? 具体的に達成すべきゴールは後ほど戦略で考えますが、「このチームはこういう方向を目指して、こういうことをやっていくよ」と共通理解を作ることで、チームメンバーが同じ方向を見て進むことができます。

共有目的を作るとき、大切にしたいのはメンバー全員の声を反映することです。カナメたちは一人ずつ紙に書き出してみる方法をとりましたが、こうすると、人前で発言するのが苦手な人も自分の考えを伝える機会を持てます。声の大きな人に引きずられるのでなく、全員の発言の重みが平等になるように他にもいろんなしかけができるのではないでしょうか。誰かが作った目的を受け入れるのではなく、自分たちで目的を作るからこそ、やる気も出てくるのではないでしょうか。

チームを自治していくための「みんなの約束」

共有目的を決めた達成感でみんな心がホクホクです。五人は関係構築で同じ想いを持っていると知りました。昼休みを自由にしたいという同じ関心を持っていることも確認でき、みんながそれぞれ考えながら決めた共有目的に表されたのです。みんな満足して外に遊びに行きたくなりかけましたが、ユキさんは話を次に進めます。

「二つ目に決めることは**みんなの約束**ね。学校のクラスでは、物事を決めるときは学級会の多数決で決めるとか、掃除当番は持ち回りにするとか、決まりごとがあるよね。決まりごとがなくて困ったことはある？」

「学級委員の書記を一回目やったら、ずっと一年やらされて嫌だった」とリンが言いました。「次の年になったら先生が毎回書記は持ち回りにしましょうと言ってくれて楽になった」

「なるほど。その例のように、チームを運営する基準になるもの、**約束**が必要です。英語ではノームというよ。みんなでこれを当たり前にしていきましょうという意味」

「なんでルールじゃないの？」とタケルが尋ねます。

「ルールは権力のある誰かが決めた、従わなきゃいけないものと思われがち。だからなかなか変えられない。ノームは〈みんなで作った合意事項〉という意味。だから、今みんなで決めるけど、メンバーが替わったり、やることが変わると変わっていくものだよ」

「みんなで作る約束か」とカナメがつぶやきました。

「そう。まず、みんながどんな文化を持つチームを作っていきたいか考えてみよう。その上でそれを実現するために、次の五つのことを決めます。①どうやってものごとを決めるか（意思決定方法）、②どうやって話し合いをすすめるか（議論の方法）、③ミーティングをどう運営するか、④責任をどう分担して、果たしていくか（アカウンタビリティ）、⑤約束が守れなかったときどうするか」

それぞれについてユキさんは説明しました。五番目は英語ではノームコレクションといい、約束を破ってしまったことを認め、今後は守りますという気持ちをこめて行う儀式のようなものです。軽い罰ゲームと言えばわかりやすいでしょうか。ダンスとかものまねとか、ちょっと恥ずかしい、でも笑えるものがよいとされています。

それからみんなで五つについて話し合い、決まったことを紙に書きました。

どんなチームを作りたいか——楽しくワクワクするチーム！

①どうやってものごとを決めるか（意思決定方法）……全員の意見が一致することを目指す。むずかしかったら多数決。

②どうやって話し合いをすすめるか（議論の方法）……発言してない人がいたら、意見を聞いてみる。一人の人が発言しすぎないようにする。意見が違うときには質問して相手の考

えを理解する。反対意見も、変なアイディアかもと思っても発言する。積極的に他の人の意見に、いいね！　と言う。

③ミーティングをどう運営するか……毎週木曜日の放課後三時から五時にミーティングする。他のことを考えないでミーティングに集中する。時間通りに始めて終わる。楽しむ！

④責任をどう分担して、果たしていくか（アカウンタビリティ）……毎週分担しているものを確認する。困ったら助けを求める。

⑤約束が守れなかったときどうするか……先生のものまねをする！

「すごい！　とてもいい約束だね。よくやった！」

とユキさん。これも「小さな成功」だねとカナメが言い、再びジュースで乾杯です。

▼みんなの約束（ノーム）とは

「いつのまにか知らないところで物事が決まっている」「いつも数人ばかりが話して会議が終わる」「コミュニケーションの方法があやふや」など、会議の運営方法やチームの運営方法で混乱したことはないでしょうか。一つの解決方法が**ノーム**です。ノームは「誰か権威のある人ではなく多くの人が、これが当たり前、いつものことと考えるもの」という意味。「当たり前」を明文化するとみんなで意識していけますし、新しい人が入っても速やかに適応できます。

ノームは①意思決定方法、②議論の方法、③ミーティングの運営方法、④アカウンタビリティ（どう引き受けた責任を果たすか）、⑤ノームコレクション（ノームが守れなかったときの是正）が主な要素です。ノームは校則や社則と異なり人を縛るものではありません。目の前にあることに囚われて物事を進めがちであったり、嫌われることや争いを恐れて意見を言わなかったり、決めきれなくなりがちといった人間の性質に対応し、効果的なチームを作っていくためにみんなで守っていくものです。

チームミーティングが楽しく生産的な場になるよう、他のノームも考えてみてください。限られた人しか発言しないという課題があるなら、発言が苦手な人でも発言しやすいしかけを考え、ノームにするとよいでしょう。また、会議がいつまでも終わらない、ということもありがちです。時間通りに始めて終わる、なども参加する人の貴重な時間を尊重する上で大切なことです。

ミーティングの開始時にノームを読み上げると毎回意識できるのでおすすめです。見直しもできるため、新しいノームが必要と感じたときに追加できます。

相互依存する役割を決めよう

みんなの集中力が切れないように注意しながら、ユキさんは話を進めます。

「三つ目に決めることは〈役割〉だよ。クラスではどんな役割がある？」

「日直、お花係、給食係、飼育係、とか」とマイが答えます。

「その役割がなかったらどうなるかな？」

「えー、お花が枯れちゃうし、動物も死んじゃうかも」

「そうだね。役割を決めて仕事をしていかないとうまく物事が運んでいかないね。役割で失敗したこと、うまくいかなかったことある？」

ハヤトが苦い顔をしながら言います。

「バラを育てたとき、手伝ってくれる人がだんだん少なくなって、最後一人だった」

「そのとき、みんなで役割分担したの？」

「いや、来てくれた人に『水やって』とか『雑草抜いて』とかお願いはしたけど」

カナメは申し訳なさそうにハヤトに告げました。

「最初は手伝ったんだけど、ハヤトがいろいろやってくれるし、私は必要ないかなって思ってやめちゃってた。ゴメンね」

ユキさんは、優しく二人に笑いかけながら言います。

「これも学びだね。人は『この仕事だけやっといて』では責任を感じにくいし、自分が必要とされていないと感じると参加しなくなってしまう。自分のすることが成功に結びつくような、はっきりした役割が必要だね。他に、役割でうまくいかなかったことある？」

マイも苦い顔をしながら口にしました。

「私はイチタと飼育係したんだけど、イチタは動物好きじゃなくて、仕方なくやってたの。だからそのうち私に全部押し付けるようになって。最後は一人でやってた」

「そういうのは嫌だよね。そうならないために、役割はその人のやってみたいこと、得意なこと、成長させたいことで考えるといいよ」

五人はそれぞれの得意なことや、伸ばしたいと思っていることを出し合いました（**図4・3**）。自分で言うだけでなく、お互いから見た強み（得意そうなこと）

図 4.3 それぞれの得意なこと・伸ばしたいことを整理する

メンバー	得意なこと	成長したい分野
カナメ	・絵を描くこと ・あきらめない	・みんなをまとめる力
ハヤト	・人前で話すこと ・先生と話すこと	・仲間と行動すること
タケル	・サッカー ・知らない子とも話せる	・サッカー以外で友だちをつくる

も出し合いました。みんなが自分をそんな風に見てくれているんだと感じ、五人は嬉しくなりました。

それから必要な役割を考えました。チームをまとめる人、子どもたちを活動に誘う人、先生と交渉する人、新聞などで広報する人など。それぞれの責任や仕事内容を考え、どんな人が向いているかも考えます（**図4・4**）。その上で、五人の得意なことと伸ばしたいことを眺めながら、誰がどの役割をするのがいいか話し合い、次のように決めました。

- チームをまとめる人　カナメ
- 活動に誘う人　リン、タケル
- 先生と交渉する人　ハヤト
- 学級新聞などで広報する人　マイ

「いいね！　それぞれの得意なことや伸ばしたいことを生かした役割になったね」

みんなの中で、これからの活動のイメージもぐっと具体的になってきました。

図4.4 必要な役割を定義し、適任者を考える

メンバー	得意なこと	成長したい分野
カナメ	・絵を描くこと ・あきらめない	・みんなをまとめる力
ハヤト	・人前で話すこと ・先生と話すこと	・仲間と行動すること
タケル	・サッカー ・知らない子とも話せる	・サッカー以外で友だちをつくる

必要な役割	責任	適した素質	関心があるメンバー（素質・スキル）
チームをまとめる	・チームの作業の調整 ・ミーティングの準備	・全体をみるのが得意 ・みんなと連絡するのが得意	・カナメ
活動に誘う	・みんなに声をかけて誘う ・活動を新しい人に説明する	・知らない子とも話せる ・説明がうまい	・タケル ・リン
先生と交渉する	・先生に活動を理解してもらう ・協力をとりつける	・先生と話すのが得意 ・しっかり要望を伝えられる	・ハヤト

▼相互依存の役割

チーム運営で難しいことの一つが、役割分担です。責任感が強すぎる、人に任せるのが申し訳ないと感じる、コントロールできなくなるのが怖い、自分がやるほうがうまくいくと感じるなど、さまざまな要因から、役割分担がうまく機能しないことはよく起こります。

また「仕事をふる」のと「役割をふる」のは違います。「この資料を作っておいて」といった頼み方の場合、振っているのは仕事です。「○○さんは寄付金集めの担当。どうすれば寄付金が集まるか考えて、必要なことを準備して」なら、責任が伴う役割を振ることになります。自分で考えて行動する幅も広がります。活動に参加したばかりの人には仕事を振るだけでいいかもしれませんが、慣れてきたら少しずつ役割を担ってもらうのがよいでしょう。

最後に、役割を決めるときに気をつけたいのが、「得意なこと」「成長させたいこと」のバランスです。ボランティア活動はお金として対価が得られるわけではありません。活動継続のモチベーションの一つは、「自身の成長」です。たとえば、ＩＴに強い人がいるとします。しかし、その人は本業がＩＴ関連の仕事で、ボランティアまで同じことをしたいとは思っていません。一方で、人前で話すことに課題意識を感じていました。この場合、得意だからと言ってＩＴ担当を押し付けるのは不適切です。「担当はイベントコーディネート、ただしIT関連で困ったことが生じたときはサポートしてください」と依頼するなど、得意なことで貢献しつつ成長も感じられるような役割を設定しましょう。

みんなの想いを表すチームの名前とチャント

活動のイメージも具体的になり、これで終わりかなとみんなが思ったところでユキさんは言いました。

「最後に、最も大事なことを決めるよ！」

「まだあるの？」

「最後にとっても大事なチームの決めごとがあるのよ」

「何それ？」

「**チームの名前**と**チャント**」

「ちゃんと？」

「**チャント**は後で説明するね。まず、この**チームの名前**を決めよう！　みんなの気分が上がるような、楽しい名前、そして私たちの想いを表している名前がいいよ」

「私たちの想いは自由、のびのび、だよね」とカナメが言いました。

「のびのび戦隊」とハヤト。

「え。ダサいよ」とタケルが言うと、ユキさんがすかさず言いました。

「こういう楽しいものを考えるときは、ダメ出しするんじゃなくて、『それいいね、じゃあ、これはどう？』という感じで返していくといいよ」

マイが心得たとばかりに言います。

「のびのび戦隊、いいよ！『のびのびた』は？」

「いいね！」とカナメが話をつなぎます。「ドラえもんののび太くんと同じだからちょっと変えて、『のびのびーた』とか？」

ハヤトは笑った瞬間、何か思い出しました。

「そういえばこの前、英語の授業で自由はフリーダムってならったね」

リンがアイディアをさらに出します。

「自由な学校がいいから、『フリーダム・スクール』？」

英単語をよく知っているタケルが加えて提案。

「それかっこいい！　戦隊も英語風にして『フリーダム・スクール・レンジャー』は？」

その言葉を聞いた瞬間みんなのエネルギーが高まり、

「いいね！」

と同時に叫びました。ユキさんはすかさず言います。

「さっき決めた意思決定方法では全員一致が基本だから、これで決まりね！」

盛り上がって「フリーダム・スクール・レンジャー！」と連呼する子どもたちを見て笑いながら、ユキさんは次の話題を切り出しました。

「じゃあ、チャントを考えよう。たとえばスポーツの試合の前に、みんなで輪になって掛け声かけたりするでしょ。ああいう歌や身体の動きをみんなでやって、一体感やエネルギーを高めるもののことをチャントと言うの。楽しいよ！」

ちょっと考えてからリンが言いました。

「音楽の授業でやった『幸せなら手をたたこう』を替え歌にするのはどう？　みんなで手をたたいて楽しかった！」

「『幸せなら』を『自由なら』に替える？」とタケル。

「いいね、自由なら手をたたこう！　パンパン！」ハヤトが手を叩きます。

「二番も作ろうよ。変えたいなら足ならそう！　ドンドン！」とカナメが足踏み。

「できた！」


♪自由なら手をたたこう！　パンパン！

自由なら手をたたこう！　パンパン！

自由なら態度で示そうよ、ほらみんなで手をたたこう！　パンパン！

♪変えたいなら足ならそう！　ドンドン！

変えたいなら足ならそう！　ドンドン！

変えたいなら態度で示そうよ、ほらみんなで足ならそう！　ドンドン！


ユキさんは、誇らしげにレンジャーの顔を見回しながら言います。

「みんな今日はよくやったね！　最後にもう一回ジュースで乾杯だ！」

「かんぱーい！」

みんなで達成感を分かち合ったあと、ユキさんは次回への課題を示しました。

「さて、次はどうやって自由な昼休みを取り戻すか、作戦を立てる必要があるね」

「そうだね。次の木曜日にまた作戦会議だね」とカナメ。

「作戦を立てる上で、とても大事な宿題をみんなに出すよ。五年生や他の学年の子たちが、昼休みがなくなったことをどう思っているのか、できるだけたくさん聞いてきて。それと、先生のなかで昼休みを自由にすることに賛成の人もいるんじゃないかな。賛成の先生は誰で、反対の先生は誰か、なぜそう思っているかも聞いて探ってみてほしい」

「じゃあみんなで分担しようよ」

自分の思っていることを打ち明けやすいと考えて、タケルは男の子、リンは女の子の担当にしました。そして、年長の子とつながりが多いマイが六年生、年下の子とよく遊ぶカナメが低学年、ハヤトが先生を主に担当することにして、それぞれ次のミーティングまでに二〇人に聞いてみることにしました。

「いいね！　じゃあ来週、また三時にここね」

「ユキさん、ありがとう！」

五人のフリーダム・スクール・レンジャーは意気揚々と家に帰り、翌日からユキさんの宿題にとりくみました。

▼チーム名とチャント

小学生がやることとでしょう？　と思ったそこのあなた、違います。大人のあなたにこそ、チーム名とチャントを決めてほしいです。チーム名とチャントはチームの一体感を高めるのに非常に役立ちます。社会に対する働きかけは、何かと生真面目なものになりがちですが、ユニークな名前とチャントが、私たちの日常の殻を破るのを手伝ってくれます。

うまくいかなかったミーティングでも、最後にチャントをやると盛り上がって終わります。騙されたと思ってぜひ、やってみてください。

第5章

戦略作り

みんなの資源をパワーに変える

次の木曜日の放課後、レンジャーたち五人は再度ユキさんの家に集まりました。みんな前回の宿題だった「昼休みについての考えを二〇人以上に聞く」をやってきて、活動が進んでいくのを感じてワクワクしています。

五人がテーブルの周りに座るとユキさんは、今日のテーマは「戦略」だと言いました。

戦略って何？

「戦略は『作戦』とだいたい同じ意味だよ。作戦、考えたことある？」

「ある！」タケルが答えます。「ドッジボールのとき、相手チームの弱点は何か考えて、そこを突くようにした」

「そう、そういうのが作戦。じゃあ、お母さんやお父さんに何か買ってほしいとき、どうやったら買ってもらえるか考えたことはない？」

「あるある！　おばあちゃんに言ってみたりもしたよ」とマイ。

「おもちゃ売り場の前から絶対に動かないって決めて、ずっといたら、お父さんが折れて買ってくれたことがある」とリン。

「あはは。そうそう、戦略ってみんな日常的に立てていて、難しいことじゃないよ。ひとことでいうと、こういうこと」

ユキさんはそう言ってホワイトボードに書きました。

戦略とは
私たちが持っているもの（資源）を
必要な力（パワー）に変え
ほしいものを手に入れること

「戦略は、一部の賢い人しか考えられないような難しいものではないの。次から戦略を考える上で大事な質問を見ていこう」

戦略を考えるための五つの質問

「効果的な戦略を立てるために、五つの質問に沿って考えていくよ」

ユキさんはまたホワイトボードに書きました。

1. 一緒に立ち上がる人（同志）は誰か
2. ほしい変化（戦略的ゴール）は何か
3. どうしたら持っているものを必要な力に変えられるか
4. 戦術は何か
5. 行動計画は何か

「これから一つずつ考えていこう」

1. 一緒に立ち上がる人は誰か

「まず、みんなと一緒に立ち上がる人って誰？」

「うちの小学校の子どもたち」とカナメ。

「それだけじゃなくて親たち」とリン。

ハヤトも付け加えます。「先生たち」

ユキさんは、みんなの意見をホワイトボードに書きながら言います。

「一緒に立ち上がる人を『同志』と言います。同志は困難なことに遭っている人たち。困難に遭っている人たちがスイミーのように一緒に動いて、力を生み出すんだ。誰が困難に遭ってるのかな？」

「やっぱり子どもたちじゃない？」マイがつぶやきました。

「そうだね。子どもたちでいいと思うけど、特にみんなが声をかけやすい人たちを中心に考えるといいよ。コミュニティ・オーガナイジングは一人ひとりと関係を築いて、広げていくものだから。誰かな？」

ユキさんが問いかけると、みんなは一斉に答えました。

「五年生！」

▼一緒に立ち上がる人（同志）は誰か？

問題を抱える当事者と、同じ想いを持つ**同志**が変化を起こす主体者となるコミュニティ・オーガナイジング。その戦略として、まず**同志**を絞る必要があります。人とつながりを作っていくのがコミュニティ・オーガナイジングですから、いきなり「日本中の若者」や「地域住民全員」などを同志にすることはできません。カナメたちは自分たちの小学校の問題だったので、同じ学校の児童、五年生に絞りました。仮に全国的な課題に取り組むとしても、共に行動するには自分たちの小学校から始めるのがよさそうです。

また、問題を抱える当事者を同志にすることが大切です。支援者的な立場の人を対象として考えがちですが（カナメたちも先生や親を挙げました）、社会問題は力のない人たちに起こります。問題を抱える当事者が動くことで、彼らが力をつけ、自らの手で社会問題を解決することが重要だと私は考えています。

2. ほしい変化は何か

ユキさんは次の問いに移りました。

「五年生がほしい変化はなんだろう？」

「もちろん自由な昼休み！」とカナメ。

「でも、みんなに質問したら、『昼休みが短い』という意見もあったよ」とリン。

「最近、全体的に自由がなくなってきたとも言ってる子がいた」とハヤト。

ユキさんはちょっと思案してから言いました。

「いろんな意見があるんだね。じゃあ次の四つの質問で整理してみよう」

①問題は何？
②問題が解決したらどうなる？
③なぜ今まで問題は解決されてこなかったんだろう？
④問題はどうしたら解決できる？

問題は何？　それって取り組める？

「①問題は何？　みんなの同志が感じている問題は？」

「最近、自由がない」ハヤトが答えます。

「いいね。それをもっと絵に描けるくらいに具体的にしていこう。どんな自由がないの？」

「自由に時間をすごせない」とカナメ。

「自由に選べない」とタケル。

「だんだん絞れてきたけど、これではまだ具体的な取り組みにつながらないね。どんなときに自由時間がないの？　何が選べないの？」

「遠足のときの自由時間がない」

「合唱コンクールで歌う歌が全部決められている」

「昼休みが自由でなくなった」

「具体的になってきたね。この中でみんながいちばん嫌だと思っていることは？」

「やっぱり昼休みが自由でないこと！」

▼取り組む問題を絞る

同志と同じように、取り組む問題も絞っていく必要があります。カナメたちの問題は「昼休みが自由でなくなった」というシンプルなものですが、現実の社会課題はもっと複雑です。たとえば、「格差社会の是正」に取り組む、というのでは漠然としています。少し絞って「非正規社員と正規社員の格差是正」はどうでしょう？　だいぶ絞れましたが、まだ取り組める課題としては不十分。非正規と正規のどのような格差が問題なのでしょうか？　給与水準？　ボーナスの有無？　育児休暇の制度？　このように具体的にしていくと取り組めそうです（**図5・1**）。

同志が日々「嫌だ」と感じているかどうかは、人々の参加を促す上で鍵になります。第8章で紹介する岩手県の事例では、ある人が町を盛り上げるために若者にイベントを企画してもらおうとしたものの、若者はのってきませんでした。が、若者たちが嫌

図5.1 取り組む問題を絞る

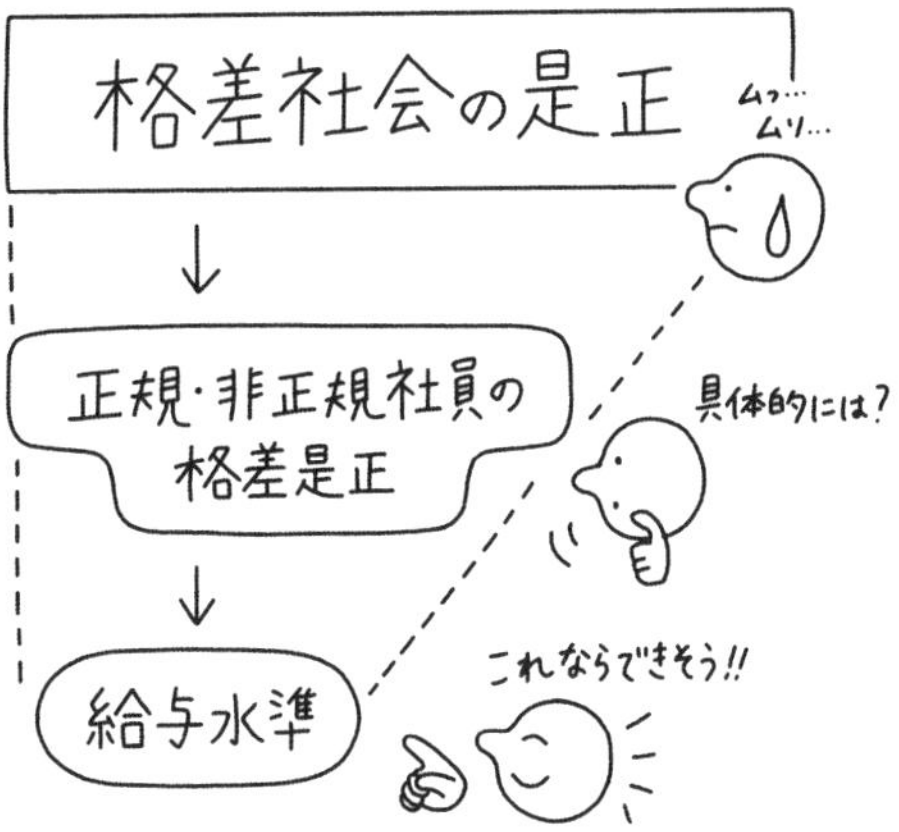

がっていた「夏の成人式」を変えようという話になると、動きだしました。当事者意識を持てる問題に焦点を当てることが肝心です。

問題が解決したらどうなる？

「次の質問。②**問題が解決したらどうなる？**　昼休みが自由になったら、みんなどう変わるかな？」

「毎日学校に行くのが楽しくなる！」

「好きなことができて、嬉しい！」

ユキさんは頷きます。

「いいね、じゃあ逆に問題が解決しなかったら？」

「学校行きたくなくなる」

「みんな暗くなりそう」

「それは嫌だね。やっぱり変えないと！」

カナメが立ち上がって宣言しました。

▼問題解決後のビジョンを描く

問題を考えると同時に、それが解決したらどうなるか、希望のビジョンを描くことが大事です。逆に解決されなかったらどんな現実が待っているかも考えます。二つの世界を描くことで行動へのモチベーションを高めていきます。①問題は何か？ と②問題が解決したらどうなる？ の質問は行ったり来たりしながら考えるとよいでしょう。

なぜ今まで問題は解決されてこなかったんだろう？

「では、③**なぜ今まで問題は解決されてこなかったんだろう？** 自由がなくなってきたのはなんでだろう」

「教頭先生が代わったから」とハヤト。

ユキさんはふむふむと言いつつ問いかけます。

「教頭先生は色々学校のことを決める力があるのかな」

「うん、そう思う」とタケル。

「学校のことを話し合うのは他の先生たちもするよね。もともと自由だったのに、先生たちはそうでなくていいと思ってるの？」

とユキさん。カナメが遠い目をして言います。

「私たちの好きな先生がたくさん転勤でいなくなったよね……」

「自由にさせてくれる先生がいなくなったんだね。では、子どもたちは、なんで自由がいいと思っていたのに、その状況をそのままにしてたんだろう？」

「学校のことを決めるのは先生だと思うから」とマイ。

「私たちが『こういう学校がいい』って意見を言える場所はないし、変えられる気もしない」

とカナメが言うと、みんな賛同しました。

ユキさんは、意見をホワイトボードに書き、全体を眺めながら言いました。

「いいね。問題がなぜ起きているのか分析できてきたね。三つの原因が挙げられてる。一つ目は教頭先生が代わったこと。二つ目は先生たちが代わったこと。三つ目は子どもたちが変えられると思っていないこと。この中で、みんなの力を合わせて変えられるものはある？」

「教頭先生をやめさせる！」とタケルが言いました。

「それは無理でしょ」とハヤト。

「偉い人に言えば？」とタケルが言うと、マイがすかさず言いました。

「それだと、みんなの力を合わせて変えることにならないよ」

「たしかに、他人頼みだよね」とカナメ。マイが言います。

「『子どもたちが変えられると思っていないこと』は、みんなで変えられるんじゃない？」

「そうだね」とリン。

ユキさんは感心したように言いました。

「誰かの力を頼ることで変えられる場合もあるけれど、それはカナメの言う通り他人頼みで、子どもたちに力はついていかないね。コミュニティ・オーガナイジングでは、同志が力をつけていくことを目指します。三つ目の原因に対して、どうやって解決できるか考えていこう！」


問題はどうしたら解決できる？


ユキさんは続けます。

「次の質問は、④**問題はどうしたら解決できる？**だね。『子どもたちが変えられると思っていないこと』は、どうしたら解決できるかな？」

「変えられるんだということを見せる！」とマイが答えました。

「みんなでスイミーになれるんだ、って思えるようにする！」とカナメ。

問題が何か、解決したらどうなるか、問題の原因は何か、そしてどうしたら解決するかまで見えてきました。

▼問題の原因と解決法を探る

質問③「なぜ今まで問題は解決されてこなかったんだろう?」では、問題が解決されてこなかった原因を考えます。さまざまな角度から考え、根本的な原因まで探ります。この問いはコミュニティ・オーガナイジングを進めるにあたってとても重要です。問題が起きている原因は複数あるからです。そこでポイントとなるのは、自分たちが関わっている原因は何か、です。質問④「問題はどうしたら解決できる?」でユキさんは「みんなの力を合わせて変えられる原因」は何かを聞きました。自分たちに関わる原因を問うことで、自分たちにできる解決策が見えてくるからです。

社会問題の解決方法は色々あります。「偉い人(権力者)に頼む」、「メディアで取り上げてもらう」などもその一つです。ただし、コミュニティ・オーガナイジングは、社会的にパワーのない人たちをオーガナイズし、彼らのパワーを高めていくことを重視します。パワーが高まった結果、問題が解決に向かい、好ましい状態が維持され続けることを目指します。だからこそ、その人たち自身が問題にどう関わっているのか(なぜ動こうとしなかったのか、動けなかったのか)を考えることが重要です。

質問③と④は行ったり来たりしながら絞っていってもよいでしょう。

みんなのほしい変化（戦略的ゴール）は？

「ここまで考えられたから、元々の質問にもどるよ」とユキさんは言いました。「みんなのほしい変化（戦略的ゴール）は何？」

「昼休みが自由になること！」

とみんな一斉に答えます。ユキさんはすかさず聞きます。

「自由な昼休みって絵に描ける？」

「描けるよ。校庭で遊んだり、好きなことをしている様子の絵」とカナメ。

「いいね！　では戦略的ゴールになっているか確認しよう」とユキさんは紙に図を描き始めました。「この三角形の図のように、みんなの目指したい『のびのび自由にできる学校』は、すぐにできるものではないよね。だから、まず自分たちにできそうな具体的な変化を考える。それを戦略的ゴールというよ。みんなが戦略的ゴールを達成することで、他にも活動が広がったり、できることが増えたりして、さらに大きなゴールを目指せるようになる（**図5・2**）」

そして、良い戦略的ゴールの条件として五つのポイントを挙げました。

①力を集中できる

②参加したくなる

③持っているもの（資源）を最大限使える
④ものごとを実行する力が増す
⑤同じ問題を抱える他の人たちも真似できる

リンが基準をじっと見ながら言いました。

「①を考えると、『昼休み長くしたい』とかは含めずに、今まで通り自由に過ごせる昼休みを取り戻すことだけ目指したほうがよさそう」

「うん、そうすると集中できるね」とハヤト。

マイは②を指しながら言いました。

「みんな元通りの昼休みがいいと思ってるから、たくさんの友達が参加したくなると思う」

カナメは腕を組みながらつぶやきます。

「③と④は当てはまるのかな？」

ユキさんが答えてくれました。

「子どもでも学校を変えられることを示して、みんながそう思えるようにする、という点で、当て

図 5.2 戦略的ゴール

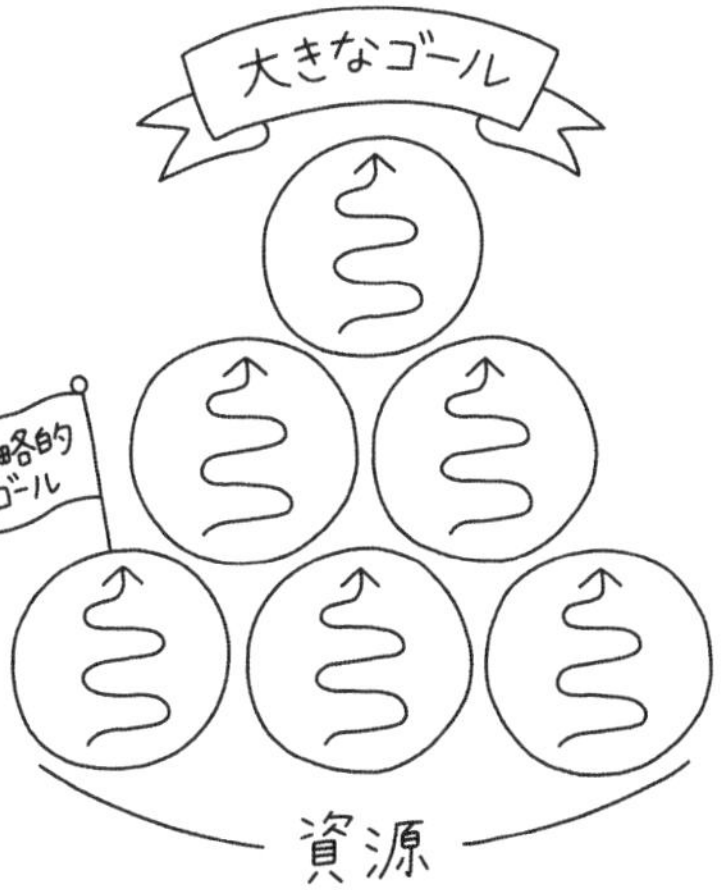

はまると思うよ」

タケルは納得したような顔で言います。

「最後の⑤は他の学校の子たちも、ということだよね？　同じように昼休みがなくなった学校があるとしたら、きっと真似できると思う」

「今まで通り自由に過ごせる昼休みを取り戻す、が戦略的ゴールね」

とカナメがまとめました。

▼戦略的ゴールとは

目指したい社会はすぐには実現できません。実現するには何年も、何十年もかかるかもしれません。その社会の実現に一歩ずつ近づく変化を起こす、それが「戦略的ゴール」です。三角形の図のように、戦略的ゴールが積み重なることで、さらに上の段階のゴールを目指せるようになります。

戦略的ゴールは絵に描けるぐらい具体的であることが望ましいです。たとえば新聞記事になるとしたらこんな写真が載る、と考えてもよいかもしれません。戦略的ゴールが考えられたら、必ず五つの基準に照らして、人々の力を増すものになっているか確認してください。

往往にして、運動を起こすと、私が大学院で設定した「国連の政策を変える」のように、大きすぎる曖昧なゴールを設定しがちです。また、「自分たちが解決したい問題」にもゴールを設定してしまいがちですが、問題の当事者（同志）の視点を忘れてはいけません。あるアメリカのコミュニティ・オーガナイザーは、貧困層の住宅を改善するため「市の住宅予算を増やす」という戦略的ゴールを掲げて住民に働きかけていきました。しかし住民はあまり参加してくれません。よく話を聞いてみると、住民は市の予算を増やすことより、老朽化したアパートの郵便受けを直したいと思っていました。住民は郵便で給与小切手を受け取っていたので、安全に郵便を受け取ることができず困っていたのです。そこでオーガナイザーは戦略的ゴールを「郵便受けを修繕する」ことに設定し直しました。そして住民たちとともに立ち上がり、市に問題を認識してもらって郵便受けを直すことができたのです。住民たちは「自分たちも立ち上がればできる！」と自信をつけて、次に貧困層用住宅への予算の増加というゴールに取り組んだそうです。

▼戦略は直線ではない

戦略作りは直線的なプロセスではありません。行ったり来たりしながら作っていきます。戦略的ゴールまで作ってみたら実はもっと同志が絞れそうだとわかることや、戦略的ゴールがしっくりこないので問題分析をもう一度やってみることもあります。実際にアクションをしてみてから新しい事実がわかり、戦略を変えなくてはならないと気づくこともあります。

3. どうしたら持っているものを必要な力に変えられるか

パワーは固まっていない、動くもの

「戦略の三番目の質問は『どうしたら持っているものを必要な力に変えられるか』」ユキさんは次の議題に移りました。「ほしいものを手に入れる力を**パワー**というよ。コミュニティ・オーガナイジングで大切なことは、『**パワー**』を理解すること！　いわゆる『権力』がない私たちが社会を変えたいとき、パワーを作ることがキモになるよ。では、日本で一番パワーがある人は誰かな？」

「総理大臣。日本で一番偉くてものごとを決められる」とハヤト。

「総理大臣のパワーは何があっても変わらないかな？」

「変わらなそう」とマイ。

「そうだね、私たちはそう思いがち。でもパワーって動くものなんだよ」とユキさんは言います。「たとえば私がカナメたち五人の大好きなお菓子を持っていたとする。五人の持っているお菓子はそれほどほしくない。どっちにパワーがある？」

「ユキさん」とみんな。ユキさんは続けます。

「でも、その後、実はカナメたち五人が持っているお菓子は私がとても好きなものだとわかった。しかも限定品で、みんなしか持っていない。今度はどちらにパワーがある？」

「わたしたち！」

「そう、パワーが動いたね。パワーは〈人の気になること（**関心**）〉と〈人の持っているもの（**資源**）〉の程度で決まる。パワーは動くものなんだよ」

▼パワーは動くもの

関心と**資源**、関係構築でも登場した用語が再び登場しました。パワーは関係にもとづくものだからです。ある人の持つ資源に対する人々の関心が高まると、その人はパワーを持つ状態になります。あの人は偉い、権力がある、というのも、その人の持つ資源に私たちが関心を寄せているからです。逆に、その人が資源を失ったり、その資源に対する一般の人たちの関心が薄れたりすると、パワーも弱まることになります。

パワー・ウィズ、パワー・オーバー

ユキさんはどうやらパワーの話が好きなようです。頬が興奮で赤くなってきました。

「パワーには二つのかたちがあるよ。〈互いに出し合うパワー（パワー・ウィズ）〉と〈上回るパワー（パワー・オーバー）〉」

と話し、一息ついてから問いかけました。

「例を挙げて考えてみよう。みんなの町で、近所に子どもの遊び場がなかったらどう？」

「困るよ。遊び場はほしい」とタケル。

「そうだね。じゃあ、近所に公園はあるんだけど荒れていて、遊具も古びていて誰も使っていませんでした。そこに子どもたちが古タイヤを持ってきたり、家で使わなくなった子どものブランコとか滑り台を持ち寄ったりして遊び場をつくりました。こういう風に同志たちが協力しあうことでほしいものを手に入れられることを、〈互いに出し合うパワー（**パワー・ウィズ**）〉というよ（**図5・3**）」

「みんなで協力しあってる感じだね！」

とマイ。ユキさんはにっこりして応えました。

図 5.3 パワー・ウィズ

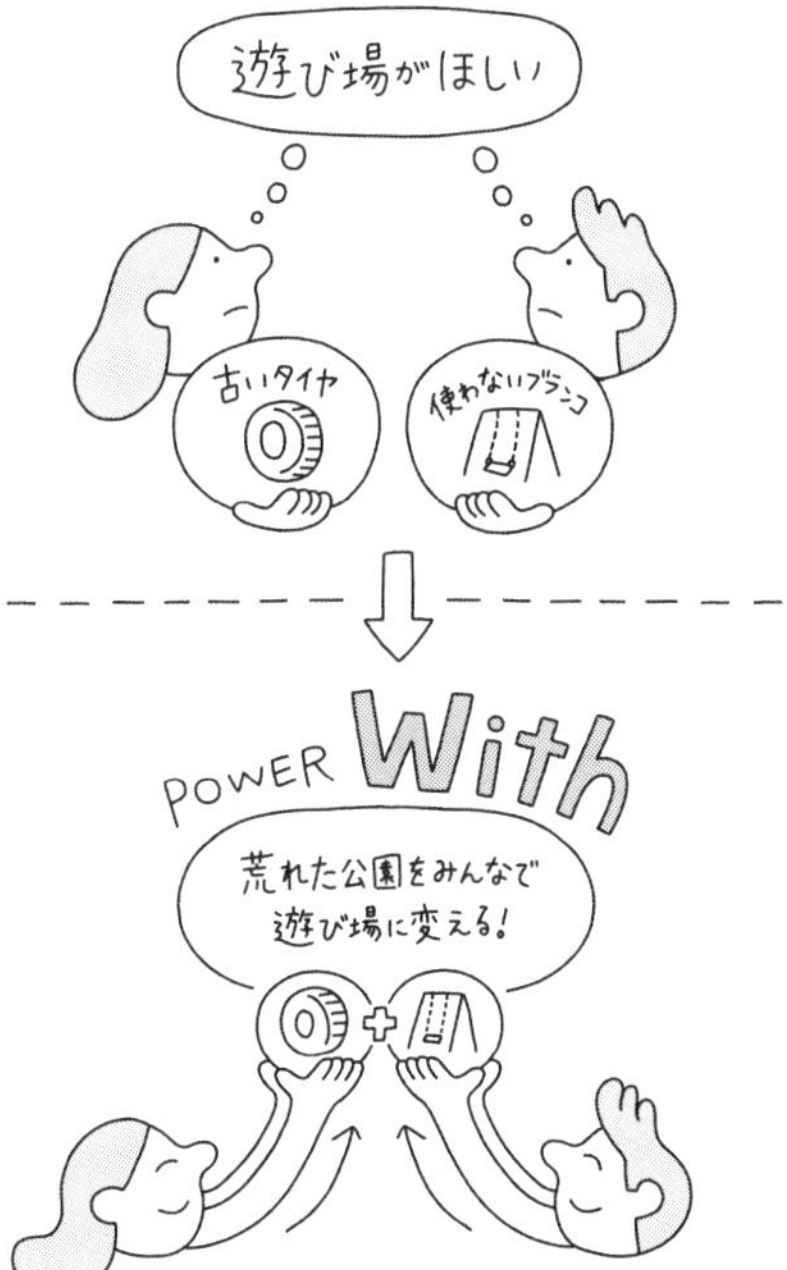

「そう、みんな対等な感じだね」

ユキさんは、顔を曇らせて話を続けます。

「ところがある日、町長が、急に『外から物を持ってくるのは禁止』と看板を立てた。パワーは誰にある？」

「町長」とみんな口々に言いました。

「そう、町長は公園を管理する権限を持っている。子どもたちは好きなように使いたいから、それがほしい。町長は管理のしやすさだけ気にしていて、特に子どもたちの想いなんか気にしてない。子どもたちの公園を好きなように使いたいという想い（子どもたちの関心）が、町長の想い（子どもたちへの想い（町長の関心）

を上回っているから、町長のパワーのほうが強い。これを〈上回るパワー（**パワー・オーバー**）〉というよ（**図5・4**）。子どもたちは町長が持つ上回るパワーの状態を変えなくちゃならない。何をする必要があるかな？」

「……みんなで町長を説得する」

とリン。ユキさんは、すかさず言います。

「町長のところに何回も説得しに行きました。でも全然話を聞いてくれません」

「えー」みんな、お手上げ、という顔をしました。ユキさんは続けます。

「実は、町長は、次の町長選にまた出ようとしています。そこで子どもたちは、学校が終わった後に大勢で町長の家の前に集まって、『遊び場を奪わないで、公園で楽しく遊びたい』と大きく画用紙に書いて訴えたの。近所の人たちもびっくり、地元で話題になりました。そうしたら、自分の評判が下がることを恐れた町長は、『いやいや、危ないと思っていたんだよ』とお茶をにごしながら、町議会に公園を整備する提案を出して、子どもたちの意見を聞いて新しい遊具を入れて、公園を整備しました！」

「おー、子どものパワーが上回ったんだ！」ハヤトが嬉しそうに言いました。

「子どもたちがみんなで行動して地元の大人たちの注目を集めることで、町長は子どもたちのことを気にしなくてはならなくなった（町長の子どもたちへの**関心**が大きくなった）。それでパワーが動いたんだ」

図5.4 パワー・オーバー

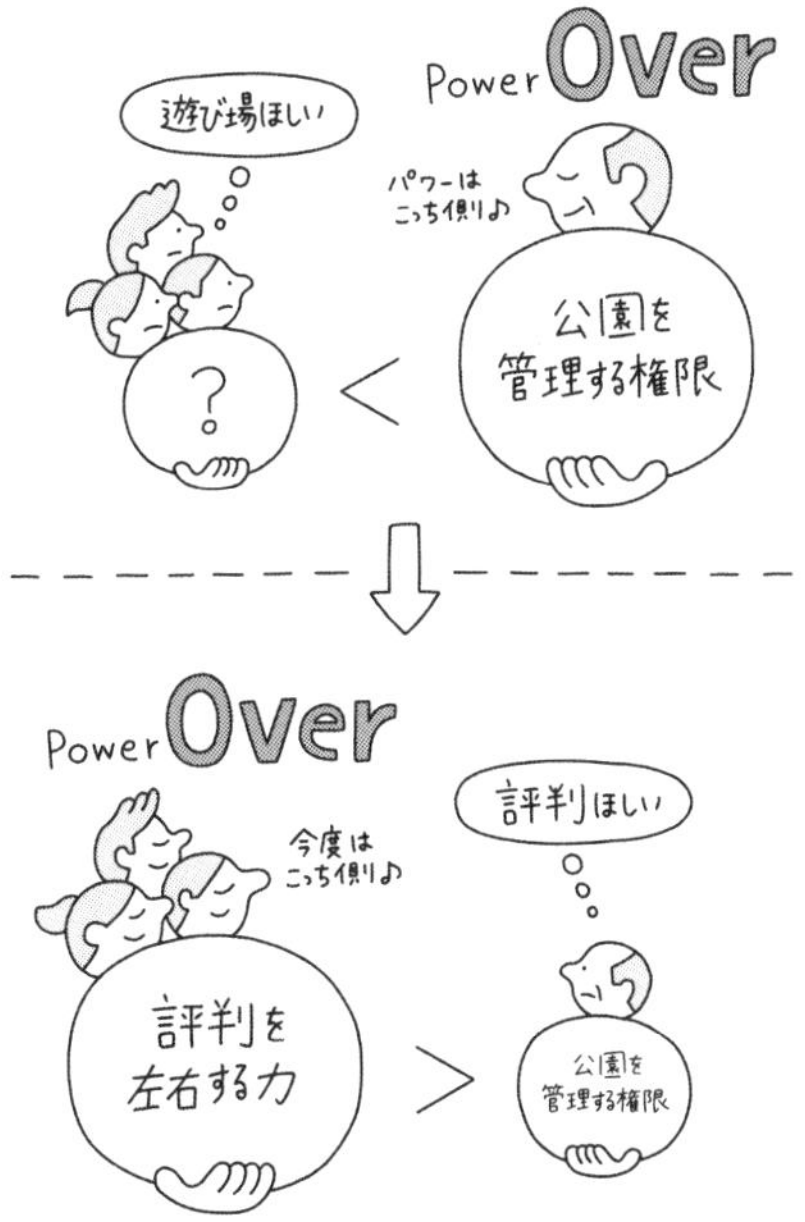

とユキさん。

「総理大臣でも一緒。総理大臣は私たちが選挙で選んだ国会議員の中から選ばれた人。だから票が必要。これが総理の関心ね。皆にはまだ投票権がないけど、皆の親は選挙で投票する票を持っているよね。これが私たちの資源。多くの人が、総理大臣が良くないことをしているから、次は当選させない、と行動したらどうなるかな？」

　リンはきりっとした表情で答えます。

「総理大臣でも自分が危ないと思うんじゃないかな。私たちの言うことを聞くかも」

「そうだね。どんなに弱い立場にあ

るように見えても、社会の仕組みはすべて人の関係で成り立っているから、オーガナイズすればパワーは作れるんだ。そしてパワーは動くんだよ」

▼パワー・ウィズ、パワー・オーバーとは

米国の公民権運動で有名なマーティン・ルーサー・キング牧師は「パワー」を「目標を達成する能力」と定義しています。コミュニティ・オーガナイザーは、パワーを同志によって作られるものと考えます。同志たち自身が「問題解決の能力（資源・スキル等）」を育まなければ、問題は未解決のままになると考えるのです。

パワーには**パワー・ウィズ**、**パワー・オーバー**の二つの状態があります。

パワー・ウィズ

同じ想いと課題を共にする人々が、それぞれが持つ資源を出し合うことで、一人でするよりもずっと大きな問題解決ができるパワーを作り出すことができます。これを**パワー・ウィズ（互いに出し合うパワー）**と言います。たとえば地域で高齢者を見守るグループを住民たちで立ち上げて安心して暮らせるようなまちづくりをする事例はこのような状況です。住民同士が協力し合うことでコミュニティ自体の能力も上がっていきます。

パワー・オーバー

問題解決をするにあたり、想いを共にしない他者の資源がどうしても必要な場合があります。たとえば地域で託児所を増やしてもらうには自治体の合意が必要です。自治体の首長が託児所に予算をかけたくないと思っていたら実現はしないでしょう。この場合、首長にパワーがあり、託児所がほしい住民にはパワーがない状態になります。これを**パワー・オーバー（上回るパワー）**と言います。

そこで関心を知ることが鍵になります。首長は翌年選挙を控えていて再選したいと思っている。そうであれば、票を持つ自治体の住民たちが「託児所が必要だ」と公に行動することで問題があることが明らかになり、そこに対応しないと首長が評判を落とす、逆に対応することで評判が良くなるようにできるチャンスも作れるかもしれません。そこで、自治体に住むたくさんの親たちが困っているということを示すアンケート結果や経験談をまとめて、みんなで首長に提出する。それでも首長の関心が足りなかったら大きな会場を借りて住民たちに集まってもらい保育政策について討論をする、自治体の保育政策の問題点を知らせるチラシを手分けして配るなどして首長の関心を引きます。首長の関心が引けたら、そこでパワーバランスが変わっています。

住民にパワーがある状態になるのです。

パワー・ウィズと**パワー・オーバー**に良し悪しはありません。戦略的ゴールを決めたら、どちらのパワーの状態なのか考えてみましょう。活動の初期は**パワー・ウィズ**が必要になります。人とのつながりを作っていく上で協力し合う経験は欠かせないものだからです。より大きな目標を達成するには往々にして**パワー・オーバー**が求められます。パワーバランスを変えるために、既存のパワーを上回るパワーを作る必要があるからです。

登場人物を知らずに舞台は作れない

おもむろに模造紙を取り出し、ユキさんは説明し始めました。

「パワーを分析する上で欠かせないのは、どんな人が登場人物なのか、その人たちの気になること（**関心**）、持っているもの（**資源**）を知ることだよ。だからみんなに学校にいる人たちのことをたくさん調べてきてねと宿題をだしたんだ。登場人物は**同志**、**リーダーシップ**、**反対者**、**競合**、**支援者**に大きく分けられる。この図で整理していこう（**図5・5**）」

ユキさんは五つの丸を描きました。

図5.5 登場人物マップ

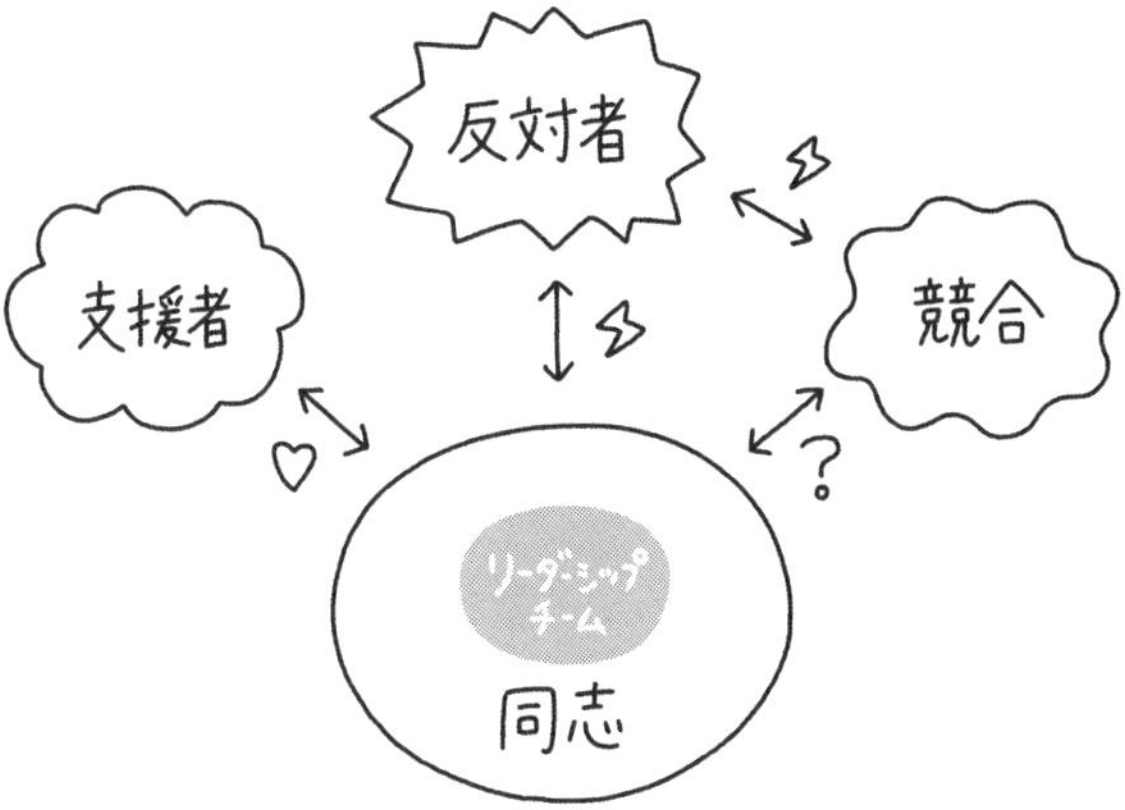

「まずは**同志**が大事。オーガナイジングしていくのには関心が高い人、リーダーシップをとってくれそうな人、友達など人とのつながりが多い人を知るのが大事。五年生やほかの学年でどんな子が思い浮かぶ？」

「隣のクラスのセナがこの前、先生に『なんで昼休みが自由じゃないの？』って怒ってた」とカナメが言いました。

「同じサッカークラブの六年のダイチも無理やり外でサッカーしようとして先生に怒鳴られてた」とタケル。ユキさんはすかさず聞きます。

「そっか、二人とも関心あるね。どんなものを持っているかな？」

「セナは女の子たちから頼りになるって慕われてる」

「ダイチはサッカーするときにクラスを超えて誘っているからたくさん友達がいるよ」

それを聞いていたリンが「いいこと思い出した」と口を開きました。

「ミナは？　去年の募金運動のときすごくたくさん集めてたから、みんなと一緒にやるのうまいよ！　少し話したとき、昼休みが自由でなくなったのは嫌だと言ってたよ」

ユキさんは満足そうに頷いて、話題を移しました。

「**リーダーシップ**はこの活動を中心で引っ張っていくチームのこと。まさにきみたちね！　今挙げてくれた友達の中でも中心チームの一員になってくれる人がいるかもね」

みんなは頷きました。ユキさんは続けます。

「**反対者**はみんながほしい変化に反対する人ね。誰かな？」

「もちろん、教頭先生」とカナメ。

「ほかに変化に反対する人いる？」

「校長先生かな。みんなの成績をもっと上げたいと全校集会で話してた」とタケル。

「アラキ先生とナガタ先生も、勉強の時間を増やしたほうがよいと言っているので反対するね」とハヤト。

ユキさんは続けてたずねます。

「教頭先生や校長先生の持っているもの（資源）はなんだろう？」

「校長先生は一番上の立場だけど、教頭先生の言いなりだって。教頭先生が学校のことはだいたい決められるらしいよ」

「じゃあ教頭先生の気になること（関心）は？」

「子どもたちの成績を上げること」

「あと、すごく自分の評判を気にしている」

ユキさんは挙がった名前、関心、資源を模造紙に書き込みながら言います。

競合とは、みんなと似たようなことをして、ぶつかり合う可能性がある人たち。うまくすると協力できるかもしれない人たちでもある。誰がいるかな
「児童会かな。昼休みのこと取り上げようとするかもって」とリン。

「児童会は誰がキーパーソン？」

「児童会長のユリ、副会長のシュン。二人とも六年生。昼休みは何とかしたいけど、先生に逆らいたくはないと言ってたよ」と六年生に聞き取りをしたマイ。

「そうか。児童会から思わぬところで足を引っ張られないように、協力できるようにしておけるといいね」と思案顔でユキさんが言いました。

みんなが二〇人と話すという宿題をやってきたので、登場人物がどんどん見えてきました。

「**支援者**は、一緒に活動するという感じではないけど、何かの形で応援してくれる人。どんな人がいるかな？」

「体育の久保田先生と音楽の小田川先生」とハヤトが即答しました。「昼休みが自由でなくなったことを職員会議でおかしいと言っていると聞いたよ」

「用務員のおじさんも、子どもたちに元気がなくなったと心配してた」とマイも付け加えます。

「何をその人たちは持ってるかな？」

「久保田先生は体育倉庫の鍵、小田川先生は音楽室にある楽器とか？」とハヤト。

「用務員のおじさんは、いろいろ道具を持ってるよ」とマイ。

ユキさんは模造紙に書き込んで、満足げに言いました。

「いいね。かなり登場人物がわかってきたね。次の段階へ進もう！」

▼登場人物分析マップ

戦略を効果的に作るためには戦場を正確に理解しなければなりません。その助けになるのが登場人物分析マップです。色んな分析方法、マップがありますのでこれはその一つと捉えてください。

- **同志**……問題を抱える当事者（そして同じ想いの人々）で、オーガナイズする必要があり、リーダーシップに貢献することができ、資源を提供し、彼ら自身がパワーの新しい資源になる人たちです。オーガナイザーの仕事は、コミュニティ（共通の価値観や関心を共有する人々）を同志（それらの価値観や関心のために行動する人々）に変化させることです。

・**リーダーシップ**……同志をオーガナイズする上での中心的な人々を指します。

・**反対者**……同志の関心と対立する関心を持つ人たちです。給与を上げてほしい従業員に対して、給与を上げたくない社長は反対者になるでしょう。あなたの活動に賛同する政治家と同じ選挙区で争う候補者も反対者になります。活動を進める中で反対者が急に現れることもあります。

・**支持者**……関心の範囲内で自発的に経済面、政治面などの支援をしてくれる人たちです。同志にはならないものの側面的に関わります。たとえば寄付者、財団などが該当します。

・**競合**……ある関心を共有する個人、組織です。同じ同志、同じ支援者をターゲットにし、同じ反対に直面するかもしれません。自分と似たようなことをしている人はお互いに協力できる存在になるかもしれませんし、パイを取り合う存在になるかもしれません。

変革の仮説（セオリー・オブ・チェンジ）

「次はいよいよ、どうしたらみんなの持っているものを必要な力に変えられるかを考えるよ。

『みんなが○○したら、ほしいものが手に入る』ということ。これを変革の仮説というよ。次の四つの質問に沿って考えていこう」

ユキさんは質問を模造紙に書き出しました。

変革の仮説を考える四つの質問

1. 私たちがほしいものは何か
2. ほしいものを手に入れるために必要なものは誰が持っているか？
3. その人がほしいものは何か
4. その人がほしいもので私たちが持っているものは何か？

「一の質問、**私たちがほしいもの**は、自由な昼休みだよね！」

とカナメ。ユキさんは模造紙に書き込みながら言いました。

「そうだね、二の質問、**ほしいものを手に入れるために必要なものは誰が持っているか？**にいこう。昼休みを自由にすることは誰ができるの？」

「教頭先生、それと校長先生かな」とリン。

「三の質問、**その人がほしいものは何か**。さっきの登場人物マップでも聞いたけど、教頭先生と校長先生は何がほしいの？　それぞれほしいものは違うかな？」と

「教頭先生は数々の学校の成績を上げてきて、周りからの評判を上げてきたから、私たちの学校でもそうしたいと思っている。すごく自分の評判を気にしているみたい。校長先生は、もう退職が近いから揉め事を起こさず、何事もなく終わらせたいって」

とハヤトが答えました。ユキさんは驚いて言いました。

「よくそこまで調べてきたね」

「ぼくの母はＰＴＡの副会長なので、先生がどんな感じか聞いたんだ」とハヤトは得意げです。

ユキさんは続けます。

「では、誰が昼休みを自由にすることができるのか絞ろうか。校長先生が自由にする、と言ったら変わるかな？」

「教頭先生が反対しそう」とリン。

「じゃあ教頭先生が変えると言ったら？」

「校長先生は揉めたくないから止めないんじゃない？　変わりそう」とカナメ。

「そう思う」とハヤト。

「そしたらターゲットは教頭先生だね」とマイが目を輝かせて言います。

「そう、そのとおり！」ユキさんは嬉しそうに言いました。

「じゃあ、教頭先生にまず普通にお願いにいけばいいんじゃない」とタケル。

「それはもう児童会がしているんだけど、全然話聞いてくれないんだって」とカナメ。すかさずユキさんがはさみます。

「そういう状況だからこそ、この最後の四の質問が大事。**その人がほしいもので私たちが持ってるものは何か？**　教頭先生がほしいもので、私たちが持ってるものは？」

「成績！」

「勉強すること」

「おれらが頑張らなかったら成績上がらないよね」とタケルが指摘しました。

「そうだね。教頭先生の関心は、実はみんなの力がないと達成できない。そうしたら、みんなの持っているものをどう使うと、教頭先生の関心を引き寄せることができるかな？」

ユキさんが聞くと、リンが提案しました。

「みんなで勉強頑張ってもっと成績上げようよ」

「え？　でも成績あがっても昼休みが戻ってくる保証はないよ」とカナメ。

「成績上がったら昼休みを自由にしてくださいってお願いするの」

「でもさ、元々昼休みが自由に過ごせないことがおかしいと言いたいのに、それってこの前国語で習った『強い人におもねる』みたいなかんじじゃない」

「たしかに」とリン。そこでマイが思いついて言いました。

図5.6 変革の仮説

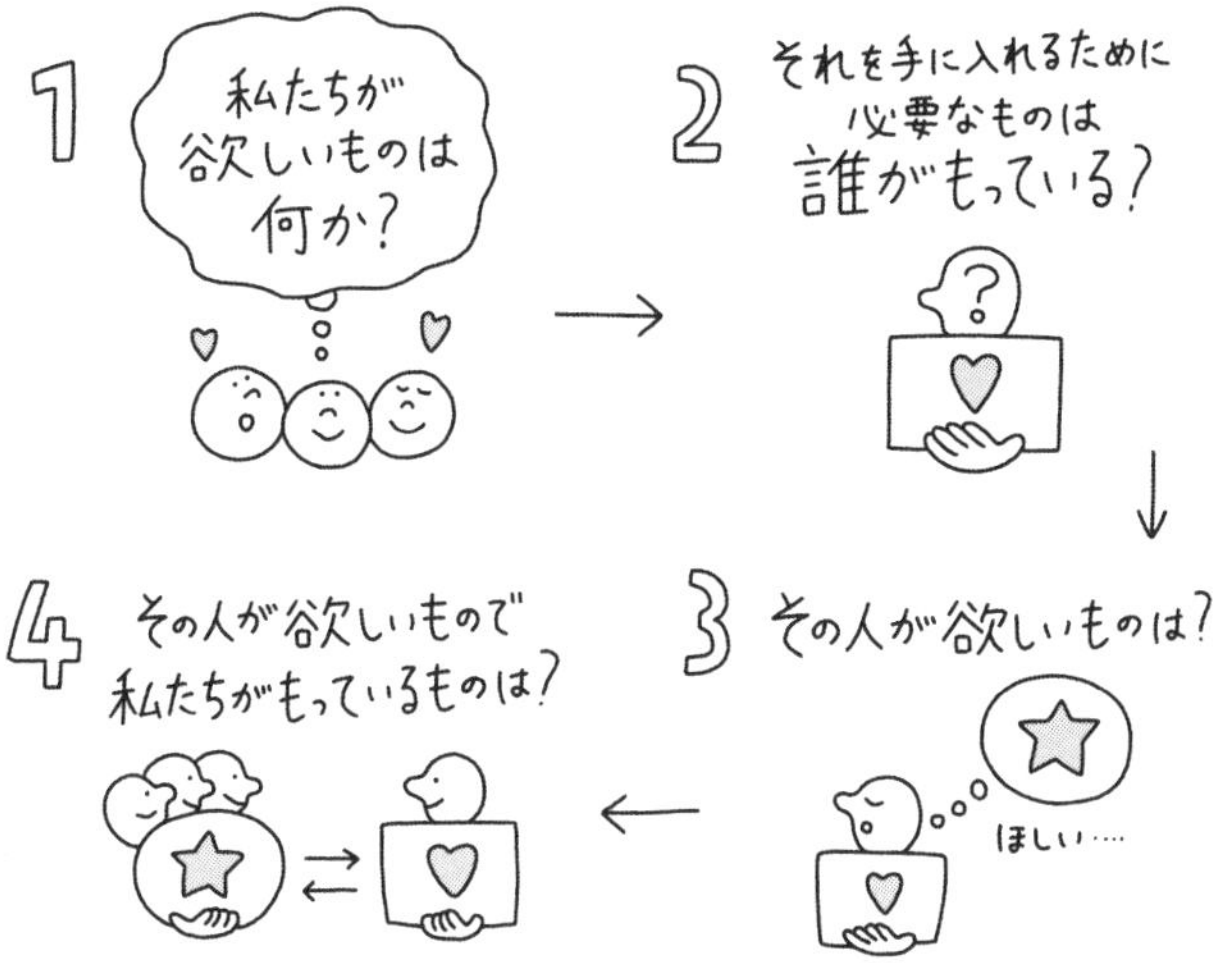
1
私たちが欲しいものは何か?
2
それを手に入れるために必要なものは誰がもっている?
3
その人が欲しいものは?
ほしい……
4
その人が欲しいもので私たちがもっているものは?

「ハヤトが調べてくれたけど教頭先生って自分の評判も気にしてるんだよね?」

「うん、すごい気にしてるって。もっと出世したいらしい、とお母さんが言ってた」とハヤト。

「じゃあ、教頭先生が悪いことしているのを暴くとか?」とマイ。

「探偵みたい……でも、ちょっと違うな」とハヤト。

「そしたら、私たちが教頭先生の評判を下げるようなことをしたら?」とカナメ。

「教頭びびりそう!」タケルが身を乗り出しました。

「でもそれ、めちゃくちゃ怒りそうだよ」ハヤトはちょっと心配そうです。

「そうね」ユキさんは静かに言いました。

「そのくらい強い反応を引き出すものじゃないと、いま相手が上回っているパワーをひっくり返すことはむずかしいよ」

「じゃあ、評判を下げることって、どんなこと?」とハヤト。

カナメが思案しながら言います。

「今まで学校で起きなかったようなことが起きて、そんなことおかしい、みたいな感じかな」

ハヤトはふむ、と頷きつつ言います。

「それって、具体的には?」

ユキさんはすかさず応えます。

「具体的な行動は次の段階で考えようか。『変革の仮説』の『みんなが○○したら』は大きな方向性でいいんだよ。みんなで話したことをまとめると、こうなるかな」

ユキさんは模造紙に書き出しました。

変革の仮説

私たちが今まで学校で起きなかったようなことをしたら、

自由な昼休みを手に入れられる。

なぜなら、教頭先生は自分の評判を上げることに関心があり、

私たちが何か学校で起こすと、そんなことおかしい、となるから。

▼変革の仮説とは

「変革の仮説」は日本ではあまり馴染みがない言葉ですが、アメリカの社会運動、NPO、社会起業家が最も重視していると言っても過言ではないものです。社会問題をこうしたら解決できる、という「変革の仮説」をもとに、事業を進めていくことで、解決に近づいていきやすくなります。逆に仮説を持たず、やみくもに、目の前にあることだけをやっていくことは効果的ではありません。

「変革の仮説」の立て方にはさまざまな手法があります。コミュニティ・オーガナイジングをする上での「変革の仮説」は、次の四つの質問で考えていきます。

1. 私たちがほしいものは何か……戦略的ゴール

2. ほしいものを手に入れるのに必要なものは誰が持っているか……個人名まで絞りましょう。次の質問の関心が個人ではないとわからないからです。もしこの質問で同志の資源だけでほしいものが手に入るのであればパワー・ウィズの状態です。三、四の質問にいく代わりにどうしたら同志が協力しあえるか考えてみましょう。

3. その人がほしいものは何か……人には必ず関心があります。個人的なことでも構いません。その人は地位や名声がほしい？ お金がほしい？ それとも？

4. その人がほしいもので私たちが持っているものは何か……その人がほしいもので、私たちが持っているもの、影響できるものを考えます。そのためにはまず、私たち同志の資源を洗い出す必要がありますね。

そこまで考えられたら、「もし私たちがこうしたら、こうなる」という一文をもとに、アイディアを試してみます。私たちがほしいものを手に入れることができそうでしょうか？ この「もし私たちがこうしたら、こうなる」というのが「変革の仮説」です。

そして仮説はあくまでも仮説。一度作った仮説に囚われすぎてはいけません。仮説に則ってしばらく行動してみたら振り返り、軌道修正していくことが大事です。効果的に活動するための軌道修正をする上でも変革の仮説は重要なのです。

戦略的ゴールを見直してまとめよう

みんなはこれまで話した内容をまとめた模造紙を眺めました。戦略的ゴールは「今まで通り自由に過ごせる昼休みを取り戻す」こと。それを達成するための変革の仮説は「私たちが今まで学校で起きなかったようなことをする」こと。これは子どもたちでも実行できることだし、みんなの力を増すことになりそうだから、この戦略的ゴールでよさそうです。

「この『戦略的ゴール』、いつまでに達成する?」とユキさんは聞きました。

「四月中!」とリンが言いましたが、「そんなにすぐには無理」とユキさん。みんなで考え、焦らずに一学期が終わるまで、でも昼休みを取り戻してすぐ夏休みでは変化の実感を得にくくなるので、六月末までを目標とすることにしました。

次にユキさんは、新しい模造紙を出して「戦略的ゴールが達成されたときの様子を絵に描いて」と言いました。絵を描くことで変化のイメージを具体化し、共有するのです。子どもたちはそれぞれペンを手に、校庭でサッカーをしたり鬼ごっこをしたり、教室で遊んだりして笑っている絵を描きました。

「絵を描いたら、なんかワクワクしてきた!」とカナメは叫びました。

「それでは、これまでのまとめをしましょう」とユキさん。「戦略がちゃんとできてるかを確認するために、次のような文を作ります」

私たちは

(誰・同志)をオーガナイズして、

（大きな目的）のために、
（変革の仮説）をすることで、
（いつまでに）
（戦略的ゴール）を達成します。

カッコの部分を話し合った内容で埋めて、できあがったのが次の文です。

私たちは
（誰）小学五年生を中心に全校児童をオーガナイズして、
（大きな目的）自由でのびのびできる学校にするために、
（変革の仮説）今まで学校で起きなかったような行動を起こし、自由がないと教頭先生の評判が下がると示すことで、
（いつまでに）六月末までに
（戦略的ゴール）今まで通り自由に過ごせる昼休みを取り戻します。

「どう？　誰をオーガナイズして、なんのために、何をして、何をいつまでに達成するか、はっきりしてるかな？」とユキさん。

「はっきりしてる!」とみんな。
「戦略はあくまでも仮説だから、行動しながらどんどん見直して、良くしていこう。ひとまず、これで戦略の完成だ!」
「やったー!」

▼オーガナイジング・センテンス

戦略的ゴールや変革の仮説を作り上げたら、整合性が取れているか確認します。そのときに有効なのが**オーガナイジング・センテンス**です。

私たちは(誰・同志)をオーガナイズして、(大きな目的)のために、(変革の仮説)をすることで、(いつまでに)(戦略的ゴール)を達成します。

センテンスができたら次のようなことを確認してみましょう。

- 大きな目的と戦略的ゴールはつながっていますか?
- 同志は明確ですか?
- 変革の仮説は戦略的ゴールを達成するために有効ですか?
- 戦略的ゴールの期限は実現可能ですか?

オーガナイジングをする間、このセンテンスを常に意識し、立ち返り、見直していきます。もう一つ有効なのが、戦略的ゴールの絵を描いてみることです。成功がどのように見え、聞こえ、感じられるかを視覚化します。他の人にも希望であふれた将来のビジョンを一目で見せることができるようになります。

4. 戦術は何か

戦略と戦術の違い

「次は何するの?」少し休憩した後、カナメがユキさんに聞きました。

「次は戦術を考えるよ」

ユキさんは「戦略」と「戦術」の違いを説明し始めました。

「戦略は、どうしたらほしいものを手に入れられるかという『方向性・シナリオ』ね。みんなで考えた戦略的ゴールや変革の仮説、そして最後に一文にしたのが、まさに方向性やシナリオを示す戦略」

「この方向にみんなで行ってみよう、っていうものだね」とカナメ。

「そう。それに対して、**戦術**は、『戦略を具体的に実行する手段』です」

「なんか難しいね」とリン。ユキさんは頷きました。

「身近な例で考えてみよう。ドロケイ（泥棒と警察のチームに分かれて行う鬼ごっこ）をするとき、足の速い子、遅い子、身軽な子とかを考えて、誰がどこにいくと逃げやすいか、話し合ったりしない？」

「するよ！　話し合わないでやるとぐちゃぐちゃになる」とタケル。

「足の遅い子は警察から見えにくいところに逃げる、足の速い子は警察の近くにいて逃げ回るようにして勝つ、というのは戦略？　それとも戦術？」

「こうしたら勝てる、ということだから、シナリオみたい」

「そう、**戦略**だね。じゃあ、警察から見えにくいところは木やすべり台の陰、走りやすいのはグラウンドの方、誰がどこに、どうやって逃げる、というのは？」

「実行する手段だから**戦術**だ！」とタケル。

「そうだね。落とし穴を作るとか、めくらましで警察に水をかけちゃうとかも戦術ね。活動に参加するみんなが**戦略**と**戦術**の両方をよく理解することが勝つためには大事。そして戦術は、落とし穴とか水かけとか、楽しくて、みんなの創造性を最大限に発揮するところでもあるの。楽しく戦術を考えよう！」

楽しい、やりたくなる戦術を考えよう！

▼戦略と戦術とは

「毎年署名を集めているから今年もやる」と習慣的に行われていることもあります。「許せないことが起きたからデモをしよう」というような、反応的な社会運動もよくあります。デモも署名も一つの戦術です。世の中の出来事に反応するのはよいことです。でも、その状況でその戦術は有効なのでしょうか？　署名だけ、デモだけでいい？　戦略のない戦術では、うまくいきません。全体的な戦略がないと、継続的かつ実際に変化を起こせる活動にはなりにくいのです。

戦略を持ち、それに即して戦術を展開することで、何かに反応するのでなく、主体的に行動することが可能になります。私が関わった刑法性犯罪キャンペーンでも、政局が揺れ動き、怒りに任せて反応的な戦術をとりそうにもなりましたが、戦略があったため、自分たちができることに集中できました。

戦略と戦術を決め、意図を持って活動することが、効果的にパワー（問題解決能力）を構築することにつながります。

ユキさんは模造紙を取り出し、またみんなに正方形の付箋紙を一束ずつ渡しました。

「じゃあ戦術を考えよう。たとえば、署名を集めよう、というのは戦術？」

「戦術。うちのお母さん、学童の時間を延長してって署名集めてたよ」とハヤト。

「この戦術は、みんなの変革の仮説『今まで学校で起きなかったようなことをして、自由がないと教頭先生の評判が下がると示す』に沿ってるかな？」

「自分たちで署名はしたことないけど、ちょっと今までにない、とは言えないかも」とマイ。

「そう。よくやられている戦術でも、戦略に沿っていなければ、ここでは戦術にならない。デモも同じね。署名もデモも、よく行われているからする、ではだめ。変革の仮説に沿った、『今まで学校で起きなかったような行動の戦術』をみんなで考えよう！　楽しく考えを広げていきたいから、『それはだめ』じゃなくて『それいいね』で話し合おうね」

ユキさんの掛け声でみんな一斉に考え始めます。しばらくして、カナメがいいこと思いついたという顔で口を開きました。

「昼休みにみんなで昼寝するのはどう？」

「いいね！　最初はうちのクラスでやって、他のクラスに広めていく」とハヤト。

「みんなで給食の牛乳パック持ち寄って大きな恐竜を作る」とマイ。

「いいね！　教頭先生を困らせるためにみんなで朝礼のとき質問攻めにするとか」

「ははは、やってみたい！」

リンが真面目な顔で言います。

「お母さんとお父さんから教頭に言ってもらうのは？」

タケルが頷いて、ハヤトの方を向いて投げかけました。

「そうだ、ハヤトのお母さんPTAの副会長だから、お母さんから教頭に言ってもらえば早いんじゃない？」

ハヤトはちょっとむすっとして言い返します。

「できるけど、それってどうなのかな」

「他人頼みって感じね」とカナメ。

「いい気づきだね！　戦術は同志であるみんなの持っているものを使うのが大事」

とユキさんがフォローしました。

「楽しく歌とか踊りをしたいな」とマイ。

「今までないことをしたら親や先生に怒られそうだから、みんなで励まし合うのも必要じゃない？」とリン。ハヤトがアイディアを重ねます。

「面白い歌にしたら、今までにないこと、にもなるよ」

「集まってみんなで歌とか歌えるといいね。でも場所があるのかな」とタケル。

ハヤトがヒアリングの成果を思い出して言いました。

「体育の久保田先生、体育館の鍵を持ってるから、場所が必要なら貸してくれるって言ってたよ。音楽の小田川先生も音楽室を使っていいって。今学期はみんなで自分の音楽を作ってみましょう、って言ってたから、歌作れるかも」

「わーい！」

「今、考えたように、違う戦術を組み合わせるのはとてもいいね」とユキさん。

他にもいくつか戦術のアイディアが出てきました。正方形の付箋紙にそれぞれのアイディアを書いて、みんなで見せ合いました。

戦術を絞る

ユキさんは戦術が書いてある付箋紙を眺めて満足げです。

「たくさん戦術が出てきたね！　次は、戦術を三つに絞っていこう」

「絞るの？　せっかく考えたんだから全部やったほうがいいんじゃない？」とリン。

「全部の戦術をやると、みんなの力が分散されてしまう。力を集中して使いたいから、色んなことをやるよりも、効果的な戦術を選んでやっていくんだよ」

「なるほど」リンは納得した様子です。

「戦術を絞るときのポイントはこの三つだよ」

ユキさんは模造紙に書きました。

・みんなの持っているもの（**資源**）をうまく使っているか
・ものごとを実行するみんなの力が増すか
・戦略的ゴールを達成することにつながるか

付箋紙を眺めながらマイが口にしました。

「親から言ってもらうのは、みんなの力が増すことにはならなそう」

「そうだね」

リンがちょっと不安そうにつぶやきました。

「昼寝、朝礼質問攻め、恐竜を作るのも今までになくていいけど、なんか教頭先生がそこまで評判が下がる、と思わなそう」

カナメがリンのほうを向いて言います。

「たしかに。どうすればいいかな……」

リンの表情がパッと明るくなり、こんな提案が出てきました。

「そうだ、教頭先生、六月の終わりに五年生は来年の『全国学力テスト』にむけて過去問で模試するって言ってたよね？」

「そうだよ〜。なんで六年生の試験にむけて今から過去問」と面倒臭そうにタケル。全国学力テストは文部科学省が実施する全国の小学六年生と中学三年生が受けるテストです。

「それに自由な昼休みがほしいって書くのは？」とリン。

「おー」と一同。マイがはっとして、

「模試に解答しないっていうのはもっと効き目がありそう」

「え？」

「今までにないこと、だよね」

「教頭めっちゃビビりそう」

「それ、いいね。ただ白紙だとやる気がないと思われるかもしれないから、答案用紙に、答えの代わりに、自由な昼休みがほしい、って書くのは？」とハヤト。

「それ、いい！」とみんなが手を叩いて喜びました。

「わー、すごいアイディアだね。じゃあ一つはそれで決まりかな。あと二つはどうしようか」

ハヤトが戦術のポイントを改めて眺めながら、目をキラリと光らせて発言します。

「昼休みにみんなで本を読まないで寝るのは、**みんなの持っているものも使えるし、実行力も増すし、ゴールにつながるよ**」

「そうだね！」とタケル。

「そうすると……歌を作って歌う集まり、昼休みに本を読まないで寝る、全国学力テスト模試に自由な昼休みがほしいと書く、か。三つに絞れてきたね」
カナメが満足げにまとめました。

▼よい戦術とは

社会に働きかける戦術を考えると、どうしても固く、真面目なものになりがちです。もちろん真面目に取り組むべきなのですが、やっている本人たちが楽しくないと、その輪に入ろうという人も増えにくいでしょう。外から見ている人も参加してみたくなる、楽しい戦術を考えてみましょう。よくある戦術を楽しくすることもできます。

私はニューヨークでオーガナイザー見習いをしていたときに、高校生たちと一緒にデモに参加しました。アメリカには、親に連れられて移民してきたものの市民権が取れないため大学にいけない子どもがいて、救済法の制定を求めるデモが企画されたのです。高校生たちはダンボール製の羽を背中に付けて「自由に羽ばたきたい」という想いを表現したり、大学生になった自分を表す大きな人形を掲げたりして楽しそうに行進していました。

戦術のアイディアがいくつも出てきたら、三つの基準を参照しながら絞ります。

・同志の資源をうまく使っているか……同志が自分たちの力を感じられる。
・同志の能力が増すか……参加する同志が増え、リーダーシップが育ち、問題解決能力を増している。
・戦略的ゴールを達成することにつながるか……具体的で測定可能な前進があるか。

近年では、SNSで話題を拡散させる、動画キャンペーンをするなど、インターネットを使った戦術がよく見られます。より多くの人々にリーチできるのでよいと思われがちですが、インターネットの戦術は「同志の能力が増す」ことにはつながりにくいという面もあります。人との関係はやはり会うこと、一緒に活動することで作られます。もちろんインターネットは便利なツールですが、それを活用していかに「リアルな人のつながり」を作るかを考えてみてください。

特にこの二番目の基準「同志の能力が増すか」がコミュニティ・オーガナイジングでは大事になってきます。戦術を実行すると活動はスノーフレークしていくだろうか、リーダーシップが増えるだろうかと想像してみてください。

5. 行動計画は何か

盛り上がりを作っていく行動計画（タイムライン）は何か

ユキさんはまた新しい模造紙を出して、山脈のような絵を描きました。

「三つの戦術を行動計画に落としていこう。この図を見ると四つ山があるけど、小さい山からだんだん大きな山になっているね。この最後の山が、戦略的ゴールの達成という意味です。三つの戦術を、手前の三つの山に当てはめていくよ（**図5・7**）。それぞれの山の大きさは、みんな（同志）の物事を実行する力を表します。三つの戦術の中で、一番みんなの力が必要な戦術はどれかな？　ゴールから逆算して考えるよ」

「五年生みんなで全国学力テストの模試に『自由な昼休みがほしい』と書くのは、かなり勇気と実行力が必要だよね」

ハヤトがちょっと考えながら口にしました。

「昼休みにみんなで寝るより大変そうだもんね。最後のダメ押しだと思う」とカナメ。

「そしたら、ゴール直前のアクションは全国学力テストの模試に自由な昼休みがほしいと書く、その前は昼休みに寝ること、その前が歌を作って歌う集まりかな」とマイ。

ユキさんは戦術をそれぞれの小さな山に書き込みました。

「今はゴールから逆算して考えたけど、前からも見直してみよう。この順番で良さそう？」

図 5.7 行動計画の三つの山

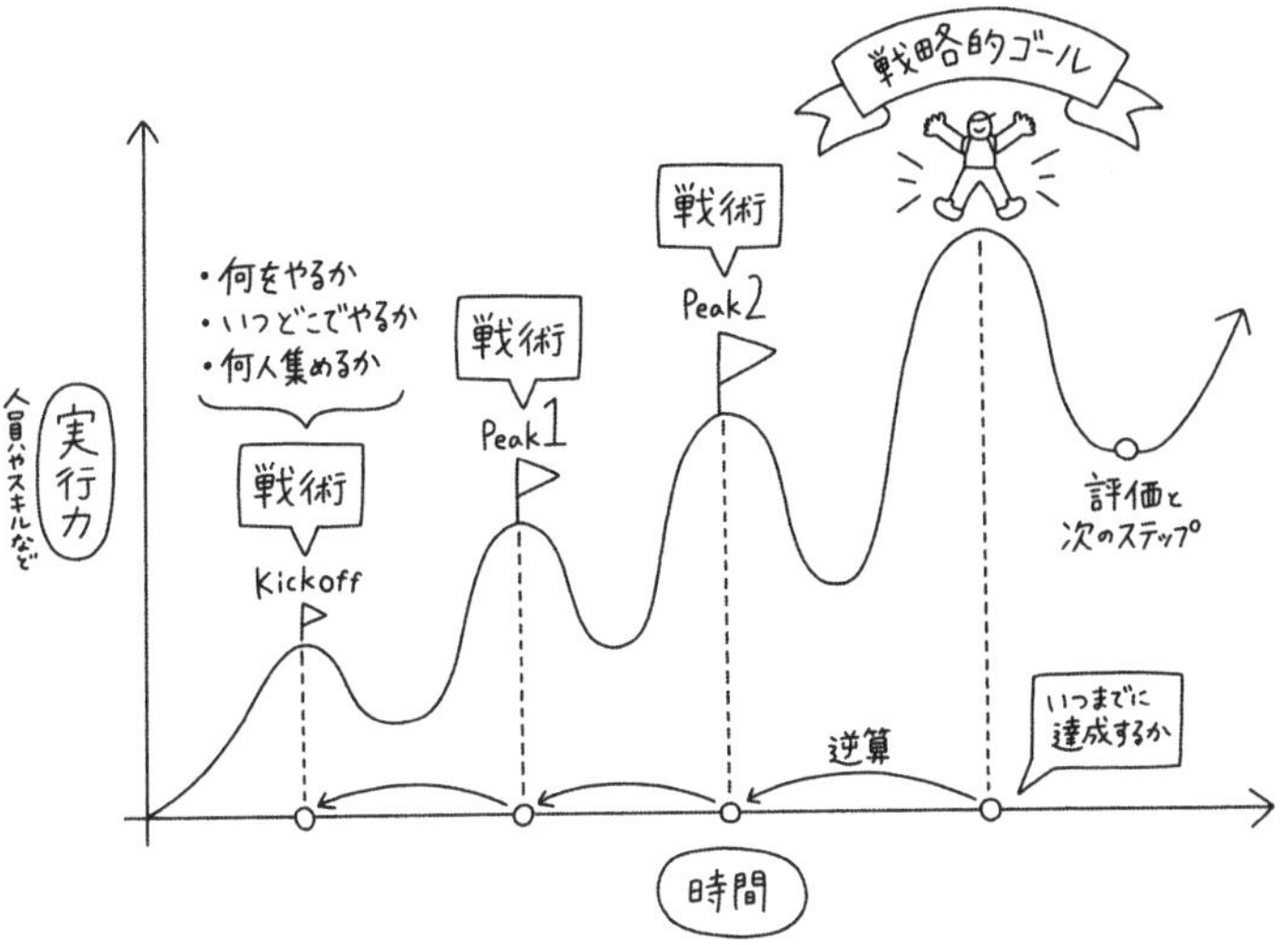

「うん、いいと思う！」と五人。

「最初の山はキックオフといって、これからこんな目標を持って、こんな活動をするよ、と多くの人たちに知ってもらう大事な山なんだ。歌う集まりは、たくさんの子どもも参加できるし、いいキックオフになりそうだね」

ユキさんは続けます。

「次は、それぞれの山のゴールを考えていくよ。最初の山では次の山を登るために必要な力をつけていく必要があることを意識していこうね。まず、全国学力テスト模試に自由な昼休みがほしいと書く戦術。模試の日は決まってるのかな？」

「六月一五日みたい」とハヤトが学校の行事予定表を見て言います。

「よし！」と五人。

「何人でやる？」とユキさんが聞くと、マイが即答しました。

「五年生一二〇人で！　それでも先生驚くだろうけど、全校児童で何かできたら、もっと今までにないことが起きた、になるよね」

「確かに。じゃあ、五年生の模試アクションと合わせて、全校児童でその日の昼休み、読書しないで外で勝手に遊ぶのは？」

「おお！」と五人は興奮して叫びました。

「いいね。戦術は考える中でどんどん膨らませていこう！」とユキさんはさらに質問を続けます。

「では、その前の、昼休みに寝るという戦術はいつする？」

「五月の終わりは？　みんなも学校生活に慣れてるころだし」とタケル。

「春の運動会の前に大きな騒ぎになると、教頭先生も困りそうだね」とリン。

ハヤトがまた行事予定表を見ながら具体的に提案します。

「運動会前にみんなが六時間目まである木曜日の、五月二五日にしようよ」

「いいね！」

「何人でやる？」とユキさんはまた質問します。

「最初は五年生全員、翌日から少しずつ広げて他の学年」とカナメ。

「いいね。三、四、六年生は一緒にできると思う。だから、四八〇人」とマイ。

ユキさんは手を緩めずに次の質問を投げかけます。

「じゃあ、最初の歌の集まりは？　いつ、何人でやる？」

「ゴールデンウィークが終わってすぐは？」ハヤトが即答しました。「その間に家族で出かけるけど。準備もできるし」

「連休前に誘ってもみんな忘れちゃうから、終わった後に誘う時間が一週間くらいあるといいな。五月一五日にやるのはどう？」とカナメ。

「そうしよう」とみんな。

タケルは流れがわかってきて、ユキさんが質問する前にこう付け加えます。

「人数は、五年生の全四クラスから一〇人くらいで、合計四〇人」

マイが頷きながら提案します。

「うちのクラスはもっと呼ぼうよ。だから五〇人は？」

「そうしよう」とタケル。

ユキさんはみんなが決めた戦術を実行する日付と人数を山の図に書き込みました（**図5・8**）。

「どう？　これで行動計画ができたよ。みんなこれでできそうかな？」

みんなで最初の山から見直し、できそうか確認しました。

「いいね！　本当に昼休みを取り戻せそう」

五人とも希望にあふれた目をしています。

みんなの表情を見て一安心したユキさんは言いました。

「お疲れ様！　行動計画ができたけど、これを別名キャンペーン・タイムラインというの。キャンペーンというのは、ある決まった期間に次々にアクションを起こして目標を達成すること。よし、最後にみんなのキャンペーン名を考えよう！」

カナメが勝ち誇った顔で言います。

「ユキさん、それはもう決まってる！」

「え、そうなの？」

「フリーダム・スクール・キャンペーン！　チームの名前を決めたあと、他の友達に話したら『かっこいいから入りたい』って。だから、みんなでこの名前を使おうって話してたの」

図5.8 フリーダム・スクール・キャンペーンの行動計画

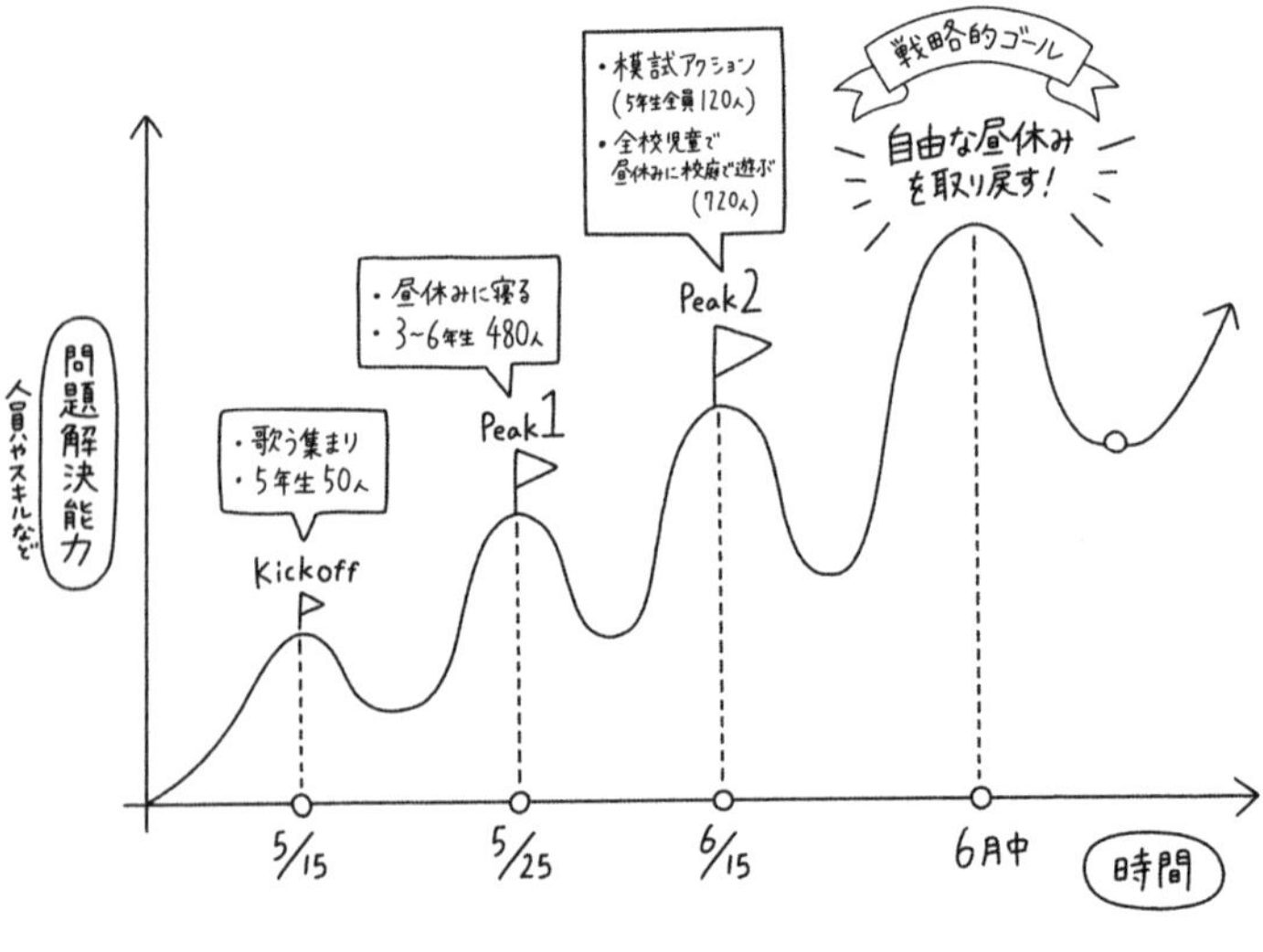

「いいね！」とユキさん。「これでキャンペーンが立ち上がった！　来週は、五月一五日にやる最初の戦術、歌を作って歌う会について考えよう。来週までに、この会に協力してくれそうな人を探したり、アイディアを考えたりしてきてね」

「ユキさん、ありがとう！　楽しかった！　また来週ね」

みんな来たときよりも一層目を輝かせて帰っていきました。

▼行動計画（タイムライン）とは

コミュニティ・オーガナイジングでは、目標（戦略的ゴール）を設定し、そこにむかって徐々に力と勢いをつけていくようなイメージで計画を立てます。そのように目標を設定し、計画された一連のアクションを**キャンペーン**と呼びます。キャンペーンを時間枠のある行動計画に落としたものを**タイムライン**と言います。

キャンペーンは一つの物語のようなものです。キックオフという序章から始まり、山を登り始めます。いくつかの山を登り、クライマックスである戦略的ゴールの達成を迎えます。山を一つ一つ登っていく過程で力をつけ（同志の数が増える、リーダーシップが増える）、次の山を登れるようになっていきます。

▼アクションを測定することの大切さ

ビジネスでは売上や利益などの目標を当たり前のように立て、達成できたかどうかを確認すると思います。社会に働きかけるアクションでも目標が必要ですが、難しいのは、お金の目標のような測定ができないことです。人が何人集まれば物事が変わる、とはっきり言うことはできないため、成功指標の設定が難しいのです。しかし測定できないものは評価のしようがありません。ゴールを達成するためにはどれくらいの人々の参加が必要か、取り組みが何回必要かなど、アクションを具体的な数字にして、測定できるようにしましょう。

▼お休み、お祝いの大切さ

なぜキャンペーン・タイムラインの図には、山に下り坂があるのでしょうか？　勢いを増し続けるよう、上り坂だけでいいのではと思うかもしれません。下り坂があるのには大事な理由があります。山頂にたどり着いたときがその戦術が最高潮のときです。たくさんの参加者がいて、エネルギーもあがっていて、まさにピーク。しかし、ボランティアやリーダーたちは疲労も溜まっているはずです。一つの山登りが終わったあとに、休息し、振り返り、トレーニングをしたり、次の山を登る計画を立てるために立ち止まることが必要です。そして何より、うまくいってもいかなくても、小さな山を登ったらお祝いをすること。ここに時間をかけないキャンペーンは、人という資源を燃え尽きさせてしまいます。

刑法性犯罪のキャンペーンに取り組んだ際、アクションに忙しく、なかなかうまくいかない状態だったため、しばらく「お祝い」を忘れていました。あるボランティアの方が「私たちはすごいことができるようになっているのに、それを認識していない。うまくいってないことだけに目がいって疲れる」と言ってくれてハッとしました。ちょうど桜の季節だったので、メンバーとお花見パーティーを開催。それまでの成果を祝い、楽しく過ごしました。おかげで改めて前向きな気持ちでキャンペーンに取り組めるようになったのです。

▼戦略は固定ではない

戦略は、プロジェクトが続く間ずっと繰り返されるループ（輪）のようなものです。計画を立てて行動し、行動の結果を評価し、さらに計画を立てて行動していきます。やってみると予想もしなかった反応や、新しい発見が必ずあります。戦略は固定的なものではなく、コミュニティ・オーガナイザーは、「行動しながら戦略を練る」のだと理解してください。

▼戦略的能力

戦略というと、一部の賢い人たちが練るようなイメージがあるかもしれませんが、普通の人たちでもよい戦略を作ることができます。必要なのが、多様性のあるリーダーシップチームです。ゴールを達成するために必要な技術、情報などを多様な視点で提供できること、そしてゴール達成に強くコミットする人たちであることが、強いリーダーシップチームの鍵になります。カナメたちも、先生や学校の情報に詳しいハヤト、友達の情報に詳しいタケル、チャレンジングな発想をするマイ、現実的に考えられるリン、というように多様な情報、視点があるからこそ豊かな戦略ができました。

第6章

アクション

リーダーシップを育てる

リーダーシップを育むしかけ

次の木曜日、カナメたちはまた放課後ユキさんの家に集まりました。新しくフリーダム・スクール・レンジャーに入った、隣のクラスのカエデとユウキも一緒です。自己紹介を終え、七人になったメンバーを前に、ユキさんは言いました。

「それでは、今日はキックオフアクションを考えていこう」

「サッカーみたい！」とタケル。

「そう、キャンペーンの最初のアクションをキックオフというんだよ。これから自由な昼休みを取り戻すためのアクションをみんなでしていこうって呼びかけ、キャンペーンを知ってもらうために行います」

キックオフアクション

「さあ、カナメ、今日は会議の司会をするんだね。練習したとおりやってみよう！」

「はーい！　では、みんな会議を始めます！」とカナメは言いました。先週の会議の後、次は司会をやってみてとユキさんに言われたのです。司会なんてしたことのないカナメですが、ユキさんに「練習すれば大丈夫だから」と促され、月曜日に一緒に会議の議事次第（アジェンダ）を作り、練習をしました。緊張しながら、練習通りにカナメは言いました。
「まず、チェックインをします。会議に入る前に今の気持ちを言って、みんなが発言しやすく、会議に集中できるようにします。一人ずつ今の気持ちを言ってください」

みんなもチェックインをするのは初めてでしたが、それぞれ一言ずつ話しました。

「それでは今日の会議の内容です」

カナメは月曜に作った議事を書いた模造紙を張り出しました。

一　チェックイン　みんなの今の気持ちを一人ずつ話す　一〇分
二　キックオフアクションのアイディアを出す　一〇分
三　アイディアを固めて絵を描く　一〇分
四　キックオフにむけてすることを出して分担する　一〇分
五　キックオフに誘う練習をする　三〇分
六　振り返り　一〇分

「誰か、書記とタイムキーパーをお願いします」カナメは言いました。

「タイムキーパーするよ」とタケル。「サッカーの練習のときコーチがよくやってる！」

「書記するよ」とマイが進み出てくれました。

「ありがとう！」ほっとしてカナメは言いました。「じゃあ、キックオフのアクションのアイディアを出し合おう。前回話したとおり、キックオフは、五月一五日に五〇人集めてキャンペーンの歌を作ってみんなで歌います。どんな場所で、どんなふうにしようか？　みんなが来たくなって、またこれからやるぞ、という一体感がでるものにしたいです」

みんな黙っています。先週話したことだからちょっと忘れているのかもしれません。カナメは、ユキさんと練習したことを思い出し、ハッとして提案しました。

「ペアを組んで、二人でアイディアを話し合ってみて！　三分間、時間をとります」

ペアになるとみんな一斉に話し始めました。言いたいことを言いながら、自分が考えていたことを思い出してきたようです。タイムキーパーのタケルが「三分たったよ」と教えてくれました。カナメは、今度は大丈夫と自信を持って問いかけました。

「じゃあ、ここからはみんなで話そう。どんなアイディアが出た？」

「音楽の小田川先生が音楽室を使わせてくれるよ」

ハヤトは協力してくれそうな先生と話をしていたのです。

「おー！」と一同。

「歌を作るんだよね。どうやって作るの？」とリン。

「歌詞から考えてもいいし、曲から考えてもいいって」と、ピアノの先生に質問してきたカエデちゃんが答えました。

マイが持っているペンを振りながら言います。

「私たちのチャント『幸せなら手をたたこう』、みたいに替え歌がいい気がする。おもしろくできそうだし！」

タケルも思い出しました。

「このまえ『線路はつづくよどこまでも』の替え歌作って歌ってめっちゃ楽しかった」

「え、どんな替え歌？」とカナメ。

「えっと、忘れた」タケルはぼそっと返しました。ユウキくんが口を開きます。

「そしたらさ、みんなで入れたい言葉を出し合って、それからグループに分かれて考えて、発表して、みんなで投票して、良いものを組み合わせて作ったらいいんじゃない？」

「さすがユウキくん」リンは感心した様子です。

「ボーイスカウトやってるんだけど、いつもリーダーが班分けしてやらせるんだ」

カナメは司会としてみんなが盛り上がってきたのが嬉しそうです。

「みんなで歌作るのは楽しそうだから、みんな来そうだね！　それ以外には何する？」

音楽の授業が大好きなカエデちゃんが提案します。

「せっかく音楽室を借りられるから、みんな楽器で伴奏したら？」

「楽しそう！」とリン。「『線路はつづくよどこまでも』は四年生でやったから覚えてるし」

「太鼓でもいいのかな。僕、楽器は苦手だけど、太鼓はやりたい」とタケル。

それを聞いたマイ、何か思いついたようです。

「ねえ、せっかく歌を作って、歌って伴奏できるようになったら、翌朝みんなが学校に来る時間に、校門の前でみんなで演奏しない？」

「いいね！　みんなにフリーダム・スクール・キャンペーンを知ってもらえるし」

ハヤトが手を打ちます。ユウキくんもマイの提案にのってきました。

「プリント作って配ってもいいかも。どんな活動するのか説明するやつ」

みんながますます盛り上がってきました。司会のカナメは嬉しそうです。

「だいぶアイディアが出てきたので、キックオフアクションについて決めていこう」

レンジャーたちは、まず「線路はつづくよどこまでも」の替え歌を作ることを決定。作り方としては、音楽室で班分けして考えることにしました。翌日に校門の前で演奏することも決めました。

それから絵の得意なカナメを中心に、キックオフアクションの絵を描きました。音楽室で歌を作ってから、みんなで校門の前で演奏して歌っている様子です。絵に描くと、どんなイベントになっているか想像ができます。必要な準備も見えてきました。みんなは、プリントを作る人、必要な楽器を先生と確認する人、司会をする人など、役割を分担して、当日までにやることを確認していきました。

▼会議でリーダーシップを育もう！

リーダーシップの育み方はさまざまですが、安全にチャレンジできる場を用意することが大事です。メンバー同士の会議はその一つになります。会議で何か小さな役割を持ってもらう、書記やタイムキーパー、またはある議題について発表してもらう、などから始めます。慣れてきたらもう少し大きなことにチャレンジ。会議は議題、議論に必要な材料を準備することなど事前準備が大事になります。会議を仕切るリーダーと一緒に議題や材料を準備するのもよいでしょう。会議のなかの一セクションの司会を担当するのも良いと思います。さらに慣れてきたら全体司会。事前に議題も作ってみます。慣れてきたら議題作成や司会は順に担当していくのも一つのやり方です。さまざまな人の視点が入り、豊かな会議ができます。

全員が思っていることを言える会議とは？

会議では、目上の人、声の大きい人が主導権を握りがちかもしれません。また会議が議論の場ではなく、報告の場になることも往々にしてあります。人がせっかく集まる場で、一番したいことは何でしょうか。多様な視点、意見を出し合って創造的な場にすることです。そのための具体的な方法をいくつか紹介します。

チェックイン

飛行機やホテルのチェックインと同じ言葉で、この会議の場に参加することを確かめるという意味です。会議の冒頭に一人ずつ今の気持ちを言うことが標準的なやり方ですが、お互いを知り合うために最近楽しかったこと、感動したことなどを言ったりもします。ポイントは「気持ち」を共有することです。全員が最初に発言し、「気持ち（心の要素）」を共有することで、平等に発言できる場を作れるようになります。もう一点、気をつけたいのはミーティングではどうしても頭の議論に偏りがちなことです。メンバー同士の心のつながり、やる気を確かめ合う、信頼を深める時間を意図的に作るようにしてみましょう。

少人数で話す

特に多様な意見がほしいと思うとき、また新しいメンバーが多くて発言しにくそうだなと思う時は、ペアや数人で話す時間を少しもうけると、話しやすくなります。グループごとにシェアしてもらうときに、発言をあまりしていなかった人にしてもらうのもよいでしょう。

意見を言ってもらうように事前に言っておく

会議の後に少人数で話していると良い発言をするのに、全員の会議の場では積極的に言おうとしない人や言えない人がいます。そういう人には、今後の会議でこれについて発言してもらえますか、とか、あなたの意見はとてもいいのでみんなにぜひ共有してください、と頼んでみるとよいでしょう。背中を押してあげるのです。

たくさんの人とアクションするための誘い方がある

人をアクションに誘うのは怖い？

キックオフの内容が無事に決まり、カナメは一安心のようです。

「決まったね！　次はユキさんにバトンタッチして、アクションに誘う練習をします」

それまでほとんど黙って見ていたユキさんが口を開きました。

「みんな、よく自分たちでここまで考えられたね。カナメ、司会ほんとうにお疲れ様！　よくできました。さて、みんな、キャンペーン・タイムラインで作ったとおり、これからアクションをしていくよね。コミュニティ・オーガナイジングでは『スイミー』を目指すから、よりたくさんの人たちとアクションしていきたい。だから、人を誘うことはとても大事。みんなが上手にできるようになると、より多くの人が来てくれるよ。みんなは誘うの得意？」

「遊びに誘うのは得意だけど」リンが言いました。「アクションは、ちょっと違うから誘いにくいかも」

「断られるのもちょっと怖いね」とマイ。

ユキさんは頷きました。

「マイ、いい点だね。なんで怖いのかな？」

「友達に嫌われた感じがするから」とマイ。

「じゃあ、『一緒にマラソンしよう』と言って断られたらどう思う？　嫌われたと思う？」

「それはマラソンが嫌いなのかなと思う」

「そう、これも一緒だよ。アクションの内容に興味がないとか、ちょっと時間がないのかもしれない。マイが嫌いなわけじゃないよね」

「そっか」

「じゃあ、『これから楽しいことしに遊びにいこうよ』と誘って断られたらどう思う？」

「えー、楽しいのにもったいないって思うよ」

「そうだね。そして、このキャンペーンについてみんなはどう思ってるの？」

「自分たちで自分の学校を変えようとするなんて、すごいことだと思う」とカナメ。

「そうだよね」ユキさんは言います。「すごい活動に誘っているのだから、断った人は、もったいないよね。惜しいことしたね、と思えばいいんだよ」

「たしかに！」マイは安心した表情をしました。

▼なぜ人を誘うことが怖いのか？

人を誘って断られると、自分を否定されたように感じるかもしれません。でもそれは、単にそのアクションへの興味がないからかもしれません。また、誘うとき、こちらは相手の事情を知らないものです。相手にとっては都合の悪いタイミングだったのかもしれません。断られてもあまり気にせず、その人の気分が変わったら連絡できるように、連絡先を残して次に進みます。

もう一つ誘うのが怖い理由は、相手が「やります」とコミットメントしてくれると、あなたの責任が増すからかもしれません。コミットメントとは、お互いにしっかり約束しあうことだからです。うまくやらなくてはという焦りや、相手に重荷を背負わせてしまうのではという心配も生じるかもしれません。でも、相手も一人の人です。自分の負担は自分で判断できるはず。自分で選択して、参加すると言ってくれたのなら、一緒に作り上げていこうという気持ちに切り替えるとよいでしょう。

誘い方のコツは「ツキコイ」

「誘い方にはコツがあるんだ。四つの点、ツ・キ・コ・イにまとめられるよ（図6・1）」

ユキさんはいいながら、ホワイトボードに書きました。

ツ　つながる

キ　緊急性

コ　コミットメント

イ　勢いをつける

「最初の**ツ**は**つながる**。一対一ミーティングの練習をした五人、どんなときに人とつながりができるって感じるか覚えてる？」

とユキさんが聞くと、マイが答えました。

「大事な想いが一緒（共通の価値観）だと感じられて、同じようなやりたいこと（共通の関心）を持っていて、それにお互い持っているもの（資源）を出し合えたらできるとわかったとき！」

「そう！　そのとおり。じゃあそのためには何をするんだっけ？」

図6.1 誘い方のコツは「ツキコイ」

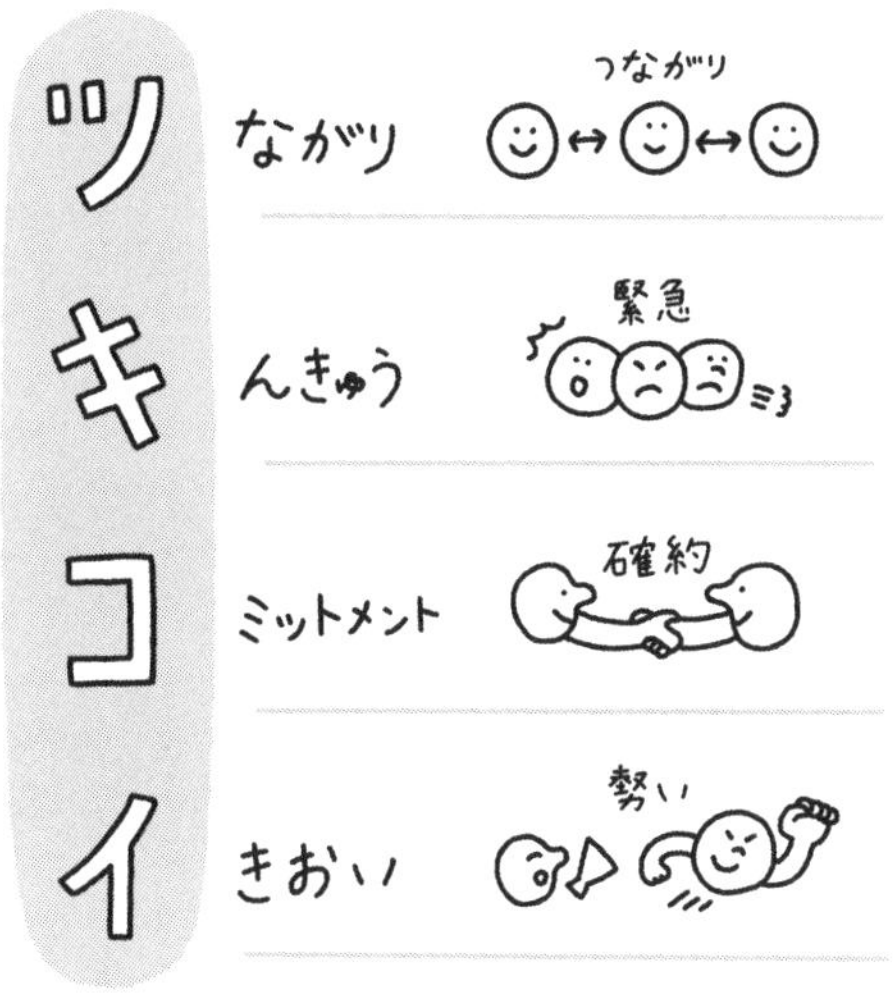

今度はタケルが任せておけとばかりに答えます。

「自分がなぜ昼休みを自由に戻そうとしているのか、**私のストーリー**を話す」

「そうだね。それ以外には？」とユキさん。

「誘う人にもどう思うか聞いたほうがいいんじゃない？」とハヤト。

「そうだね。一対一ミーティングでも相手のことを良く知ろうとしたよね。それは一緒にチームに入ってもらいたい人などと深く知り合うときに大事なこと。キックオフアクションは初めて参加する人を誘うことが多いから、一対一ほど深く聞かなくてもいいけど、やっぱり相手のことを知るのはつながりを作る上で大事だよね」

「なるほど」とカナメ。ユキさんは続けます。

「そしてタケルが言った通り、自分がどんな人で、なぜこの活動をしているのか、**私のストーリー**を、短くていいから話すことで、相手とつながりを作るんだ。タケルならどんなふうに話すかな？」

ユキさんは、タケルが**私のストーリー**をよく練習していたことを知っているので聞きました。

タケルは一瞬躊躇しましたが、座り直して話し始めました。

「僕はタケル。五年二組だよ。今、昼休みを元通り自由に過ごせるように活動を始めたんだ。僕はサッカーが苦手だったんだけど昼休みのときに友達に毎日教えてもらってうまくなったんだ。だから、みんなが好きなことができる昼休みにしたい」

「おおー！」みんなが絶賛しました。

「タケル、良い見本をありがとう！」ユキさんは手を叩いて言いました。「今みたいなストーリーの他にも、つながりを作るには**私たちのストーリー**も有効だから、思いつく人は使ってみるといいね」

「二番目の**キ**は**緊急性**。『今でしょ！』だね。カナメ、**行動のストーリー**を学んだね。どんな内容が入ってたか覚えてる？」

「急がないとまずい事態になる**緊急な困難**を話して、こうすれば変わるかもしれないという**道筋**を示し、この**アクション**をみんなで一緒にやっていこう、と話す」

カナメはノートを見ながら言いました。

「そのとおり！　カナメならどう話す？」

　カナメはいきなり聞かれて驚きましたが、話し始めました。

「昼休みは、鬼ごっこをしたり、サッカーしたり、絵を描いたり、友達とのびのびできて、友達が増える時間だったよね。今、昼休みが自由に戻らないと、私たちはこの先ずっと、好きでもない本を読んで、教室でじっとしていなくちゃならないよ。みんなでスイミーみたいになって一緒にアクションしたら変わるはず。だから、みんなで今までにないことをして教頭先生を驚かせよう。教頭先生は自分の評判を気にしているから、学校で何か起こっていると騒ぎになったら、きっと昼休みが自由になるよ」

「カナメもうまい！」みんな感心しました。

「いいね！　そうやって話しながら、相手の子がその問題をどう思うか、他の友達にどんなことが起きてるか、質問して会話するといいよ」

「三番目の**コ**は**コミットメント**。コミットメントって、どういう意味だっけ？」

「お互いにしっかり約束し合う」とリンが即答。

「そうだね。じゃあ、アクションへの参加を呼びかけて、絶対に来てねって、しっかり約束するとき、何を相手に伝えると確実かな？」

「アクションの日、時間、どこでやるか」

「そうだね。それだけ？」

「来てねって言う」

「そう。それでどんな応えが相手からほしい？」

「もちろん、『行くよ！』ていう応え」

「そうだね。『行けたら行くね』はどう？　来るかな？」

「来ないと思う」とカエデちゃん。

「うん。曖昧で、よくない答えだね。五〇人が『行けたら行くね』と答えてくれても、みんな来ないかもしれない。むしろ断られたほうがはっきりしていいよ。はっきり『行く』と言ってくれる人を五〇人誘いたいね」

「四番目の**イ**は**いきおい**。コミットメントしてくれた人に、いきおいをつけて必ず来てくれるようにしたり、さらに友達を連れてきてくれるようにするよ。イベントの中で自分の役割があって、自分が行くことが重要だと思えると、当日も行く気がするよね？」

「役割があると、行かなきゃって思う」とユウキくん。

「どんな役割をお願いできるかな？」

ユキさんがユウキにたずねます。

「友達誘ってとか、当日グループの班長になってとか？」

「いいね。友達は何人誘ってもらう？」

「五人！」

「ツキコイ」がわかったので、まずペアになって、お互いにアクションに誘う練習をしました。一人が数分間、誘う練習をします。その後、誘われた人が、誘った人にうまくできていたこと、うまくいっていなかったことを伝えてあげました。それから役割を入れ替えてまた練習。

その後、どうしたらうまく誘えたかをみんなで話し合いました。自分がストーリーを語ることも大事ですが、相手の関心を聞くことも効果的だということがわかりました。「自分が一方的に話すだけだと、うまくいかないよね。質問することが大事なんだ」とハヤト。

最後に、何人からコミットメントを獲得するか、そのため何人に声をかけるか、目標を立てました。来てほしいのは五〇人。誘ったら来てくれるのは二人に一人ぐらいだと考えた七人は、一〇〇人に声をかけることにしました。メンバーは七人いるので、余裕を持って一人一五人に声をかけることに決めました。

「よし！　みんなで頑張ろう！」

▼効果的な誘い方　ツキコイ

アクションにはできるだけ多くの人に参加してもらうことを目指すので、人の誘い方はとても重要です。日本語で「ツキよコイ」という思いを込めて、効果的な誘い方を「ツキコイ」としましたが、英語では「四つのC」としてまとめられています。

- **Connection（つながり）**……お互いを知りあいます。**私のストーリー**を少し話し、あなた自身がなぜこの問題を気にかけているかを知ってもらいます。一方的に話してはいけません。相手を知るために質問をして、耳を傾けることも大切です。共有する価値観を伝えるために**私たちのストーリー**を伝えてもよいでしょう。
- **Context（緊急性・背景）**……アクションがなぜ重要なのか、**行動のストーリー**の一部を話します。私たちが直面している困難のみならず、チャンスと希望についても、具体的に説明しなければなりません。質問をし、会話に参加してもらいます。たとえば、「この課題についてどう思いますか？」「なぜそう思いますか？」「この問題があなたの家族や周りの人たちにどんな影響を与えていると思いますか？」といった質問が考えられます。
- **Commitment（コミットメント）**……相手が活動に参加すると見込んでよいか、はっきりと尋ねます。日にち、時間、場所について具体的に伝え、参加するかどうか聞きましょう。「もちろん、必ず行きます」という返事なら成功で、イベントの詳細を伝えます。「たぶん…」「検討します」という応えなら、相手がどんな疑問を持っているか聞き、今後も連絡をしていいかどうか尋ねます。断られたら理由を聞きます。多くの場合は「忙しいので」といった答えかもしれませんが、彼らの気が変わったときのために、あなたの連絡先を伝えておきましょう。

・Catapult（いきおい）……カタパルトは発射台を表す言葉で、ここでは「勢いをつけて確実に来てもらう」「さらに人を増やす」ことを意味します。相手が「行きます」と言ってくれたなら、アクションに対する仕事と責任を与え、それを実行するプランを伝えます。次のような問いかけを行います。「イベントに何か（たとえば食べ物などを）持ってきてくれますか？」「イベントの前に二人で話せますか？」「あなたと一緒にお友達を二人、連れてきて頂けますか？」「イベント会場までどのように来るつもりですか？」（計画があると人は参加する可能性が高くなるからです）

振り返りで締めくくり

アクションの練習も終わり、カナメが、ついにここまで来たという思いで言いました。

「最後に、今日の会議の振り返りをします。今日の会議でうまくいったこと、うまくいかなかったこと、学びを一人ずつ言ってください」

「今日の会議は長かった」とタケル。カナメはすかさず言います。

「よかったことから言って！　私たちはできてないことに目が行きがちだけど、できていることがわかることも大事なんだよ」

「そうか！　たしかに反省だけさせられると気分が下がるよね」タケルは頭をかきました。

「よかったことは、カナメが司会をしたことで、自分たちもできそうって思えたこと」

それから一人ずつ振り返りをしていきました。

根っこにあるのはコーチング

会議の帰り道にハヤトがふとつぶやきます。

「そういえばさ、ユキさんって質問ばっかりするよね。学校の先生は質問より説明が多いけど、逆だね」

「コーチングっていうんだって。質問をして相手から考えを引き出すこと」

カナメが言うと、タケルが振り向きました。

「サッカーのコーチと一緒？」

「一緒だって。サッカーも、コーチがいくら頑張って教えたって、タケル自身が練習しないとうまくならないでしょ？　自分で考えて行動できるように支えるのがコーチ」

「なるほど」

図 6.2 三種類のコーチング

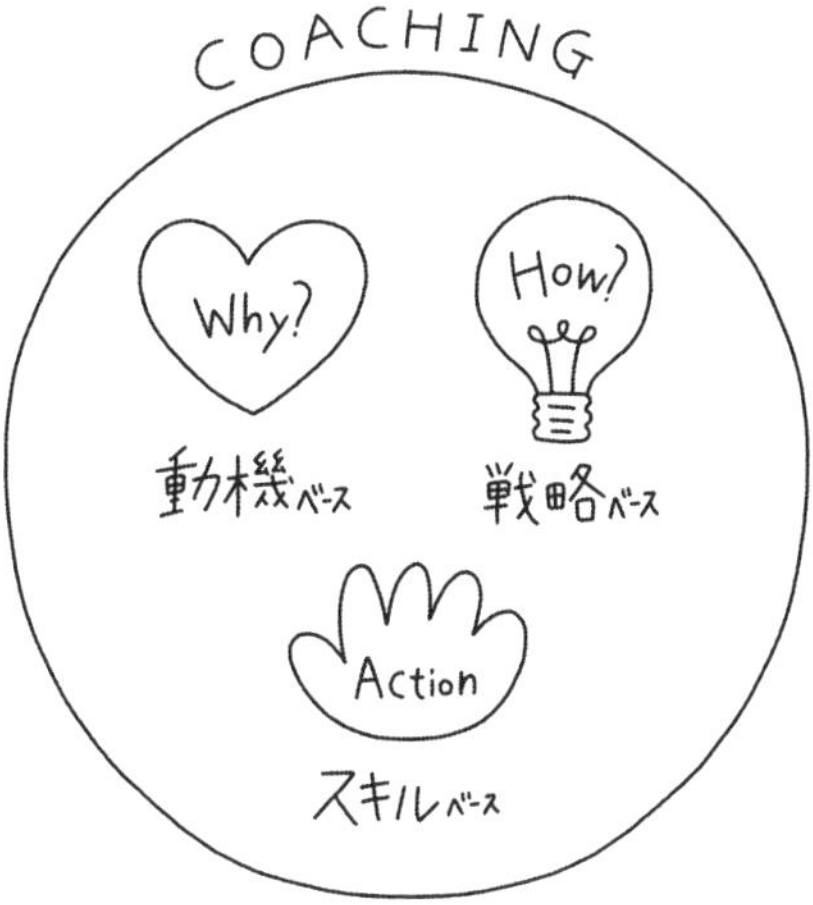

「コーチングには**心**、**頭**、**手**があるんだって（**図6・2**）」

「何それ？」みんな興味津々でカナメの方を見ました。

「**心**は気持ちとかやる気に対するコーチング。たとえばタケルはＰＫがとてもうまいのに一度試合で失敗して、ＰＫするのが怖くなったとする。そういう不安とか怖いという気持ちを乗り越えられるようにコーチングすること」

「へえ、どうやって心をコーチングするの？」

「色々あるけど、不安や怖さがどこから来るのか聞いたり、昔似たような状況を切り抜けられたことを聞いて思い出してもらったり」

「ふうん」

「**頭**は戦略のコーチングね。どうやったら敵に勝てるかとか、どうやったらゴールを達成できるかとか。戦略も作ってあげるんじゃなくて、その人に自分で考えてもらうの」

「なんで？」

「だって作ってあげているだけじゃ、その人は戦略を自分で考えることできないままだし、そもそもその人が一番、自分の置かれている状況をわかってるから」

「なるほど。そうだよね」とタケル。

「最後の**手**は、やり方を知らない場合にする、知識のコーチング。サッカーだとボールの蹴り方がわからないとか」

「正しいボールの蹴り方を知らないまま練習してもあまりうまくならない」とタケル。

「うん。誰かにコーチングするときは、その人が答えを持っていると信じること、そして**心、頭、手**のどのコーチングが必要か、よく質問して見極めることが大事なんだって」

「**心、頭、手**か」

「たとえば、タケルがPKをするのが怖いと思っているとき、**手**のコーチングだと思って正しいボールの蹴り方を教えてあげても効き目がないでしょ」

「そっか」

「ユキさんは、コーチングをお互いにし合うことが大事だって言ってた。コーチングは、自分で考えて、動ける人を育てること。だから、みんながコーチングし合っていくと、活動の中でたくさんのリーダーが育つって！」

「よし、みんなでコーチングし合っていこう！」

▼コーチングとは

主体的に動けるリーダー、自分で考えて動ける人を育てるためにはコーチングが有効です。答えを教えるのではなく、その人自身が答えを持っていると信じて、問いかけることで、主体性を引き出し、自己効力感を高めていくことができます。コミュニティ・オーガナイジングにおけるコーチングは、**心**、**頭**、**手**の課題を意識して行います。

①動機面（ハート／心）のコーチングは、より前向きに仕事に取り組むために行う。
②戦略面（ヘッド／頭脳）のコーチングは、成果を達成するための資源の使い方を分析、評価できるようにする。
③知識・スキル面（手）のコーチングは、知識やスキルを強化するために行う。

コーチングは大まかに言うと以下のステップをとります。

①観察……相手（コーチングを受ける人）が抱える問題を、質問することで十分に把握する。

②診断……問題が、動機面、戦略面、知識・スキル面のどれに該当するのかを判断する。
③介入……相手が何をすべきと考えているかを、質問をすることで見つけ出す。
④共有と振り返り……相手がコーチングを受けて何を学んだか、次のステップを確認する。
⑤モニタリング……次に会う日や定期的に会う方法を設定し、相手を支援し続ける。

このサイクルを続けることで、徐々にリーダーシップが育っていきます。コミュニティ・オーガナイジングにおけるコーチングは専門的な知識よりもむしろ、フレームワークを理解して何度もコーチングをして失敗から学びます。チームメンバー同士でコーチングする文化を作っていってください。

フリーダム・スクール・キャンペーンのその後

ゴールデンウィークが終わった後、カナメたち七人は一生懸命友達を誘いました。結果を集計すると、みんなたくさんの友達のコミットメントを得ていましたが、中でもマイは、一五人に声をかけて一〇人からコミットメントを得ていました。一方で、カエデはうまく誘えておらず、確認すると**私のストーリー**がうまく話せていないことがわかりました。マイのやり方を参考に、カエデは練習をして話し方を改善しました。しっかり数を追うことで、大事な学びを得ることができ、目標の五〇人からコミットメントを集めることができたのです。

五月一五日、七人はキックオフアクションを実行しました。なんと五四人の五年生たちが音楽室に集まったのです。班に分かれて歌詞の案を作り、みんなが好きな歌詞に投票して、得票数が高いものを組み合わせました。音楽の小田川先生が教えてくれたので、楽器での伴奏も練習できました。

そして翌朝、校門で全校児童が登校するなか、「線路はつづくよどこまでも」を替え歌にした「自由はつづくよどこまでも」を演奏し、みんなで歌ったのです。

歌に気づいた教頭先生はあわてて演奏を止めに入ろうとしましたが、小田川先生が「これは音楽の授業の一環なんですよ」とにっこり笑って立ちはだかりました。小田川先生はみんなが作ったキャンペーンを知らせるプリントも印刷してくれたので、登校してきた子たちに活動を知らせることもできました。

その後、音楽室での集まりは毎日のように開かれ、五年生だけでなく違う学年の子どもたちも集まってきました。集まってくれた子どもたちにクラスごとにチームを作ってもらい、クラスリーダーを決めました。さらにクラスリーダーが学年ごとのチームを作りました。これでレンジャーから各学年、クラスチームへの連絡がしやすくなりました。逆にクラスチームからもレンジャーたちに先生や児童の情報が入るようになりました（**図6・3**）。

クラスチームの面々は、自分たちのクラスのみんなに「五月二五日に全員で昼休みに寝よう」と提案して、どうやって寝ると面白いか相談しました。

当日は、自分たちが楽しめる色々な方法で寝ました。昼休みが自由になるまで起きない、と書いたお面をみんなで手作りしてつけるクラスもあれば、録音した「自由はつづくよどこまでも」を教室で流して寝るクラスもあり、思い思いの方法で先生たちに意思表示をしました。

最初は一日だけ寝る予定でしたが、自分たちの意思を表現できる楽しさを実感したいくつかのクラスチームから、毎日やりたいと提案がありました。先生の困り果てている様子を見て、他のみんなにも自信がついたようでした。そこで毎日続けることにしたのです。寝ている子を廊下に連れ出そうとする先生もいましたが、全員寝ているのでさすがに諦めてしまいました。しかし、教頭先生はいつか子どもたちも諦めるだろうと軽く見ていたのか、しばらく続けても何も変わりません。

毎日、レンジャーとクラスリーダーたちは放課後に音楽室に集まり、新しい昼寝の方法を考えたり、励まし合ったりしました。そして最後のアクション、全国学力テスト模試に自由な昼休みがほしいと書くやり方を話し合いました。「やっぱりテストに答えないなんて怖い」「怒

図 6.3 キャンペーンメンバーの広がり

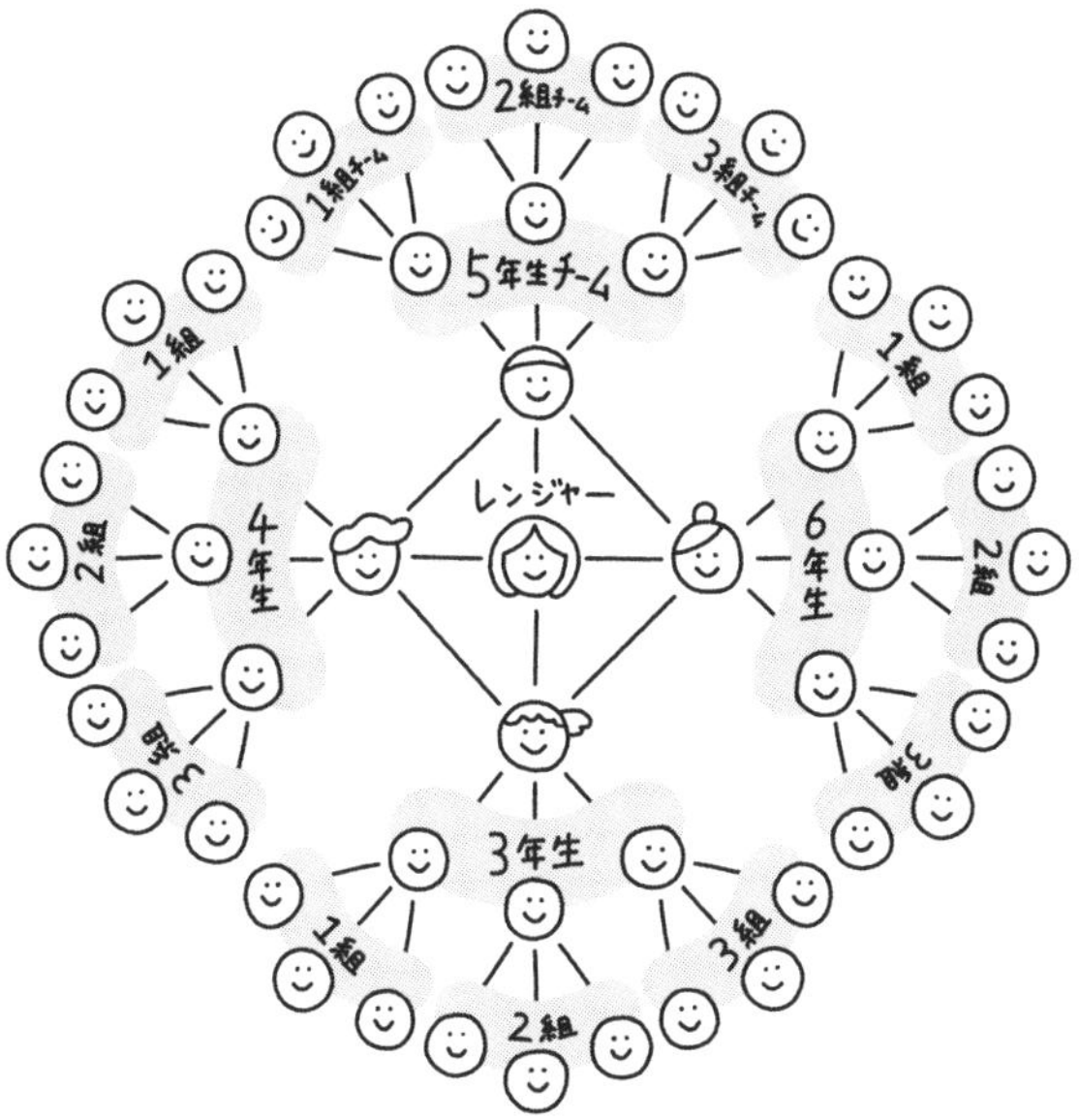

られそう」「模試のときは周りの人と話せないし不安」「五年生だけなのもちょっと……」という子もいました。それで、どうしたら怖さがなくなって、みんなで一緒に行動できるか話し合ったのです。その結果、模試の前日に集まれる人たちで集まって折り紙でメダルを作ろう、そのメダルを模試の日に五年生全員に渡して、みんなも身につけてお守りみたいにして、答案用紙に自由な昼休みがほしいと書こう、と決めました。

　模試前日、久保田先生が放課後に他の先生には内緒で体育館の鍵を開けてくれました。二〇〇人以上の子どもたちが集まり、折り紙でメダルを作りました。五年生以外の他の子どもたちにも配れるようにいくつも作ります。そして、どう書くか忘れてしまう子もいるので、メダルの裏に、「じゆうなひるやすみがほしい・自由な昼休みがほしい」とひらがなと漢字で書きました。また「昼休みに全員校庭に集まる」と次のアクションも伝わるように書きました。みんなで作るとどんどんメダルが増えていきます。その数が増えていく様子を見ているうちに、みんなの不安や怖さが消えていきました。みんなで行動して、自由な昼休みを取り戻すんだ、という気持ちが高まっていったのです。集まりの最後にはみんなで「自由はつづくよどこまでも」を歌いました。

模試当日の六月一五日の朝、前日に来れなかった子たちにメダルを配るためにレンジャーをはじめ三〇人ほどの児童が校門の前に集まり、メダルを配りました。メダルを手にした子どもたちは目をキラキラさせながら、模試アクションに挑む五年生に、頑張って！　昼休みに会おうね！　と口々に言います。そして模試の時間。五年生たちは思い思いに答案用紙に書きました。答案用紙に何回も「自由な昼休みがほしい」とびっしり書き連ねる子もいました。途中で先生に注意されないように、解答しているふりをして、最後に答えを消しゴムで消して「自由な昼休みがほしい」と書く子もいました。なぜ自由な昼休みがほしいか自分の思いを作文にする子もいました。絵で表現する子もいました。途中で先生にバレて怒られる子もいましたが、諦めずにやり通しました。

模試終了後、職員室に先生たちが困惑した顔をして答案用紙を持って集まります。教頭先生がなにごとかと立ち上がり、答案用紙を見てびっくり仰天。どれを見ても、問題に答えておらず、「自由な昼休みがほしい」というメッセージが答案用紙中に躍っているのです。

「なんだこれは！　先生たち、何をしているんですか！」と教頭先生が怒りを先生たちにぶつけます。先生に事情を聞いてもらちがあかず、あっという間に昼休みの時間が来ました。すると、校庭から子どもたちの声が聞こえてきました。

「教頭先生、こっちに来てください！」

教頭先生が校庭に出ると、全校児童が外に出て、五年生全員がみんなの思いを代表して模試アクションができたことを祝っていました。飛び跳ねたり、輪になってくるくる回ったり、みんなやり遂げたことに満足した表情です。呆然としている教頭先生にむかって、カナメが言いました。

「教頭先生、やっと私たちの話を聞いてくれるようになったと思います。私たちがなぜこういう行動をしたのか話します」

そして、パブリック・ナラティブを準備してきた、マイ、ハヤト、そして他の学年の子どもたちが次々に、自由な昼休みが自分にとってどうして大事なのか（私のストーリー）、なぜ児童たちにとって大事なのか（私たちのストーリー）、自由な昼休みになることが緊急の課題であること（行動のストーリー）を話しました。マイが語ったナラティブは次のようなものでした。

私は小学校四年生の時に小児がんにかかり、一年近く学校をお休みしていました。病院にいるときは毎日身体のどこかが痛かったし、隣にある公園にも一人で行けません。痛みがひどくて眠れない夜は、布団の中でずっと泣いていました。ある日の朝、松澤さんという看護婦さんが「まいちゃんは九歳なのにこの治療と戦っていて強いね」って言って私の手を優しく握ってくれました。私は泣いてばっかりだったから松澤さんの言葉にはビックリしたけど、自分は強いんだ、もうちょっと頑張ろうと思えました。退院の日、病院の出口を通ったときに、これからは好きな場所に遊びに行ったり好きな物を食べたり自由にできるんだ！　とワクワクしました。

楽しみにしていた学校だったのですが、前とは少し変わったことがありました。それは自由な昼休みがなくなったことです。いつもなら校庭を駆け回っている友達が、机に座ったまつまらなそうに窓の外をボーっと眺めている姿を見て、このままだとみんなの大好きな学校じゃなくなってしまうと思いました。自由に過ごせないみんなの様子が、不自由だった私の入院生活と同じだと思いました。

みんなは不自由で辛い思いをしたことはありませんか。放課後に遊んでいた近所の空地が、新しく建つビルの工事のために入れなくなったり、いつも夏に遊びに行っていた海や川が、水が汚くなって入れなくなったりしてがっかりしたこと……。そして何もできないと思ってただ諦めてしまう。

私も自由な昼休みを諦めそうになっていました。そんなとき、隣のクラスのカナメが声をかけてくれたんです。ハヤト、タケル、リンと一緒に地域のお世話係をしてくれているユキさんという人のお家で作戦会議をしました。私は初めみんなの前でうまく発言できなかったけれど、自分の作ったチーム目標の文章がいちばん良いとみんなに言ってもらえて、自分も少しは役に立てるかもしれないと思いました。

五月一五日、五四人もの五年生が音楽室に集まってくれました。みんなで歌詞を考えながら、この学校には一緒に頑張れる仲間がこんなにもいるんだと嬉しくなりました。そして次の日の朝、全校児童が登校する中、仲間で作った「自由はつづくよどこまでも」を校門で演奏し、みんなで歌いました。初めは緊張したけど、みんなが楽しそうに歌っている姿を見て、私も大きな声で歌えました。自由な休み時間ができたら、こんな楽しい毎日が送れるんだとワクワクしました。

そして今日、五年生は全国学力テスト模試に「自由な昼休みがほしい」と書きました。「テストに答えないなんて怖い」「怒られそう」という不安はあったけれど、テスト前に体育館で全学年で作ったメダルを見たら勇気が湧いて、やり切ることができました。

ここまで一緒にやってきてくれたみんな、そして先生たちと一緒にやりたいことがあります。みんなで手をつないで「自由はつづくよどこまでも」を歌いませんか。

子どもたちの話を聞いていると、硬かった教頭先生の表情が少しずつ緩んでいきました。

全員が話し終わったあと、教頭先生は子どもたちの方に近づいていきました。そしてぽつりぽつりと話し始めたのです。


「みなさんの気持ちはとてもよくわかりました。教頭先生が間違っていました。みんなの成績をもっと上げたいと思って、読書しなさい、と言ってきましたが、押し付けられるのは嫌ですよね。みなさんの話を聞いて、私も小さい頃に昼休みに友達と楽しい時間を過ごしたことを思い出しました。私は小さい頃、鉄棒が苦手だったんだけど、友達が昼休みに教えてくれて、鉄棒が大好きになったんですよ」

教頭先生の話を聞いて、子どもたちも教頭先生が身近になった気がしました。そして、今度一緒に昼休みに遊びましょう、と教頭先生と約束して教室に戻っていったのです。

フリーダム・スクール・キャンペーンは成功しました。自由になった昼休みを子どもたちは存分に楽しみました。教頭先生も一緒に！　この出来事をきっかけに、教頭先生は児童の自主性を尊重してくれるようになりました。子どもたちが自分たちの意思で合唱コンクールの歌を決めたり、発表会でする演劇の内容も決められたりするようになりました。子どもたちの力が増して、自分たちのほしい学校を作れるようになったのです。

面白いことに、自分たちで考えて行動できる幅が広がったことで、子どもたちの成績は上がっていきました。教頭先生はじめ先生たちも、子どもたちが自分で考えて決め、行動することの大切さを知りました。児童が自分たちで考える、児童の意思を大切にする校風がいつしか生まれていました。

▼スノーフレークする組織とは

スノーフレークする、たくさんの人が参加できるようにするには、その人たちが活躍できる場が必要です。とにかく大きなチームを作るのではなく、中心メンバーそれぞれが数人から一〇人程度のチームを作り、それを繰り返して、大きくしていくことが有効です。

チームは機能ごと（事務、イベント、寄付金集めなど）に作ることもできます。広がりやすいのは地域ごとにグループを作ることです。二〇一二年に私はオバマ元大統領の選挙キャンペーンでボランティアをしました。街の町内会区レベルでチームを作り、各チームのリーダーたちがボランティアを集め、トレーニングをして、戸別訪問やイベントをしていました。その町内会区レベルのチームをまとめるリージョンチームのリーダーが州チームを作り、州全体の動きを把握していました。町内会区チームの人たちが「私たちの仕事が当選につながる」と非常に意欲にあふれていたのが印象に残っています。

カナメたちのチャレンジ――コミュニティ・オーガナイジングの実践――を一緒に追ってみて、いかがでしたか？　ご紹介した個々の行動は、必ずしもすべてを一気にやる必要はありません。できそうなところから取り組んでみるとよいでしょう。うまくいかないなら立ち返り、自分の行動を振り返ると、気付きがあると思います。コミュニティ・オーガナイジングのイメージがつかめた、小さなことでも何かアクションできそうだ、と思ってもらえたら嬉しいです。

次章以降では、実際に社会に変化を起こした事例を見ていきましょう。

【参考文献】
・特定非営利活動法人コミュニティ・オーガナイジング・ジャパン、ワークショップスライド資料
・マーシャル・ガンツ著　特定非営利活動法人コミュニティ・オーガナイジング・ジャパン訳・編集『リーダーシップ・オーガナイジング・アクション　コミュニティ・オーガナイジング・ワークショップ参加者ガイド（15版）』 http://cojapan.sakura.ne.jp/wpdata/wp-content/uploads/2014/12/guide.pdf
・Ganz, Marshall. Organizing Note 2017.
・Ganz, Marshall. "Leading change: Leadership, organization, and social movements." Handbook of leadership theory and practice 19 (2010): 1-10.

Part II　CASE

実践！
コミュニティ・
オーガナイジング

パートⅠでは小学生カナメたちのストーリーを通してコミュニティ・オーガナイジングの一連の流れや理論についてご説明しました。パートⅡでは実際に世の中に変化を起こした事例を見ていきましょう。

第6章でも述べたように、コミュニティ・オーガナイジングは困難を抱えた人たちの力を引き出し、リーダーシップを育てていく活動と言うことができます。コミュニティ・オーガナイジングはアメリカで体系化されましたが、世界中で実践されています。第7章では、社会的に非常に弱い立場に置かれた人たちを効果的にオーガナイズし、リーダーシップを育てることで社会を変えた海外の事例を二つご紹介します。いずれも私と同じくハーバード・ケネディスクールのマーシャル・ガンツ博士の下でコミュニティ・オーガナイジングを学んだ人が始めた活動です。

続く第8章では、日本国内で身近な課題に対してコミュニティ・オーガナイジングを用いた事例を、最後の第9章では私自身も関わった、国レベルの変化につながった事例をご紹介します。

第7章
人々の力を引き出す

六分間キャンペーン――難民の力を引き出す

二〇〇八年にアメリカのハーバード・ケネディスクールでマーシャル・ガンツ博士からコミュニティ・オーガナイジングを学んだパレスチナ人女性ニスリーン・ハジアマドは、パレスチナとイスラエルの紛争解決をする組織で弁護士として活動していました。なかなか進まない紛争解決に法律面からのアプローチに行き詰まりを感じ、アメリカに留学。そのとき、コミュニティ・オーガナイジングに出会いました。

ニスリーンはコミュニティ・オーガナイジングでパレスチナ人に力をつければ、紛争解決の一助になるのではと考え、拠点であるヨルダンに戻り、活動家に教え始めました。そして、二〇一〇年に「ジャバル・アル・ナティーフ」というヨルダンにある五万四〇〇〇人のパレスチナ難民のコミュニティを支援するNGO「ルワード」と出会い、彼らとともにコミュニティ・オーガナイジングを実践することで難民コミュニティの問題を解決しようとしたのです。

パレスチナ難民の力を上げたい

パレスチナ難民コミュニティである「ジャバル・アル・ナティーフ」は、狭小で劣悪な住居、若者の高い失業率、学校からの高い退学率、平均より低い識字率、薬物使用、家庭内暴力というさまざまな困難に直面していました。にもかかわらず多くの難民たちは、リーダーとして振る舞う一部の男性たちに従うだけ。支援団体などからサービスを受け取ることが当たり前となり、自分たちで問題を解決しようとはしていませんでした。

難民たちは、NGOとしてコミュニティに関わり始めたルワードに対しても、当初はサービスの提供を期待するばかりでした。「これでは難民たちにいつまでたっても力がつかない」と考えたルワードはニスリーンと協力し、難民たちが自分たちの困難を解決できるように、自立を支援する方向にシフトしたのです。

まず、彼らが何に苦しんでいるかを深く探っていきました。すると、多世代にわたって識字率が低いことがわかりました。男性は工芸や肉体労働が主な収入源。女性はほとんどが専業主婦で、学校を早くに辞めてしまうのです。読み書きができないことで親たちは自信を持てず、子どもたちに読書の楽しみを伝えることもできません。子どもたちも学校の試験のための読書しか経験しておらず、彼らにとって読書は苦痛になっていました。

そこでニスリーンらは、毎日六分間、楽しみのために読書をすることを、住民の一〇%にあたる五〇〇〇人が誓い合うというキャンペーンを立ち上げました。それによって地域の識字率を上げ、自分たちの力で課題を解決する能力を培うことを目指したのです。この「六分間キャンペーン」と名付けられた活動は二〇一〇年一一月に始まりました。

キャンペーンを主導する中心チームは住民が半分以上を占めるようにし、住民自身がリーダーシップを発揮できるようにしました。その中心チームから、母親チーム、若者チーム、図書館司書チーム、女性教師チーム、男性教師チームが立ち上がりました。各チームがさらにサブチームを作ることで、人々をオーガナイズしていきました。

文字の読めない母親たちの奮闘

ここでは最も成功した母親チームに焦点を当てます。母親チームは七人の母親から構成され、NGOルワードのスタッフがコーチとして寄り添いました。母親たちは二〇一一年一月に行われたコミュニティ・オーガナイジングのワークショップ（**図7・1**）にて、自分がなぜこの活動に参加したのかという自分の物語を語りました。たとえば次のような物語がありました。

「私はウム・ファディ、四八歳です。私は小学四年生のときに、父に無理やり学校を辞めさせられました。私は日夜泣いていました。学校に戻してくれるよう父に何度も頼みましたが、父は許してくれず、なぜ学校に行きたいんだと言うばかりでした。学校に行っている友人が家に戻ると、私は彼女の教科書を借りて勉強しました。父は、私が一五歳のときに三五歳も年上の男性と結婚させました。そして私は子どもを産みました。私が取り上げられてしまったものを、どうしたら子どもたちに与えることができるかと、とても難しく感じていました。でも子どもには、私ができなかったことを達成してほしい。このキャンペーンは私に教育を

図7.1 「六分間キャンペーン」のワークショップ

取り戻させてくれるものでした。なので、全力をもって取り組みたいと思っています」

そして母親たちは、五〇〇〇人が毎日の六分間読書を誓うという全体目標のうち一〇〇〇人を母親チームの目標に決めました。

「彼女たちは目標を達成するのは難しいと知っていました。市民運動に対する心的なバリアもあります。でも彼女たちは自分たちで戦術を考えたんですよ」

とニスリーンは言います。母親たちが考えたのは、毎週、七人のメンバーが五〜七人の母親を誘い、誰かの自宅でアラビアコーヒーを飲みながら、良かった本について話し合うことでした。そして、各々が読んだ本を記録して、後日「母の読書集」として編さんしようと決めたのです。このコーヒー読書会のメンバーたちが、毎日六分間の読書を誓ってくれる人を増やしていきました。

七人の母親たちは毎週ミーティングをしました。そして、それぞれがメンバー以外の母親との一対一のミーティングを重ね、サブチームを作れるように次々と母親たちを誘っていきました。

しかし、すぐに壁にぶち当たりました。ほとんどの母親が非常に少ない人脈しか持っていなかったのです。彼女たちの知り合いはごく近所か親戚に限られていました。また公的な会議に参加したこともなく、議題を作ったり、ミーティングを仕切ったりした経験もなかったのです。また、小学校や中学校で学校を退学させられた母親たちに、コミュニティ・オーガナイジングの概念をすぐに理解させることは困難でした。コミュニティ・オーガナイジングの理解は毎回のミーティングでしっかりと振り返りをすることから生まれます。ニスリーンとルワードのスタッフらは、毎回の振り返りを大切にしつつ、月一回の全体ミーティングで少しずつ概念を伝え、会議のファシリテーション技術を母親たちに教えていきました。

オーガナイザーは一〇倍に。五〇〇〇人が読書を誓う

母親チームが始動してから半年後、二〇一一年七月には七三〇人が六分間の毎日読書を誓い、七三人の母親がオーガナイザーとして活動することになり、三五〇人の母親がコーヒー読書会に参加するまでに活動が広がっていました。さらに、オーガナイザーとなった母親たちは時間

管理、会議の司会、コーチングや関係構築スキルを身につけ、強い個人の関係性を築いていきました。

「識字レベルを引き上げることよりも、彼女たちの社会的レベルを引き上げることに、このキャンペーンの価値があったと思います」

とニスリーンの同僚マイスは言います。

「チームメンバーの一人、ウム・サラーは一五歳のときのある晩、通学鞄を枕の下において寝たのですが、翌朝になるともう学校には行けないと言われました。その後、三人の男の子の母親となった彼女は、子どもたちに文字が読めないことを知られるのが怖く、学校の宿題を家で見ることが困難だったと、彼女の物語を語ってくれました。キャンペーンの終わりにはウム・サラーは母親チームのリーダーになっただけでなく、彼女の物語に共感した母親たちがたくさんチームに加わり、彼女たちの恐怖を行動に変える触媒となったのです」

二〇一二年一月一五日、母親チームの七三人のオーガナイザーはキャンペーンの成功を祝っていました。彼女たちは一七三九人から読書の誓いを得て、三四〇〇の記事や本が全体で読まれたのです。そして、キャンペーンの期間中に母親たちが書いた、刺激や励みを与えてくれる文章が、冊子にまとめられました。メンバーは最後に、この活動に参加しなかった母親五人に冊子を渡すことで、さらに読書の素晴らしさをコミュニティ内に広めようと誓い合い、新旧メンバーに三五〇冊の冊子が配られました。

キャンペーン全体では一六〇人の住民がオーガナイザーになり、二三のサブチームができ、五〇四二人から読書の誓いを得ることができました。そして六六二〇の記事と本が読まれたのです。

素晴らしい成功ですが、実際にコミュニティの識字率や生活習慣に変化があったのかが気になるところです。ニスリーンはこう答えてくれました。

「メンバーから聞いている話としては、効果があったと思います。また、住民は『読書を誓う』ことを非常に真剣に受け止めていました。でも長期的に行動に変化が起きたかどうかは、明白な評価方法を作れていなかったのでわかりません」

しかし、このキャンペーンの何よりの成果は、今までごく近所の人しか知り合いがいなかった住民が、知らない人々の間に関係を生み、自分たちで行動して解決する能力と自信を得たことでしょう。「ジャバル・アル・ナティーフのコミュニティが一体となり変化を起こす自信があるか」という問いに対して、オーガナイザーのなんと九六％が「自信がある」と答えたそうです。そして培われた土台は、次に家庭内暴力をなくすための新たな取り組み「安全な家キャンペーン」を始めることにつながりました。

厳しい現実の中、自分たちの課題解決のために立ち上がることを決断した難民コミュニティの母親たち。この事例からは、一見無力でリーダーにはなれそうもない人でも、きっかけと学んでいく姿勢さえあれば、リーダーシップを発揮できるようになるということがわかります。そしてそれが積み上がることで、大きな変化を起こすことができるようになるのです。

母親たちに権利を――パワーバランスを覆した一斉行動

セルビアではフルタイムで働く親に国が一一ヶ月の育児有給休暇を認めています。制度上は雇用主が育児休暇中の社員に給与を払い、国が後で払い戻すことになっていました。しかし実際には多くの場合、給与の支払いは三～六ヶ月遅れていました。国による払い戻しが遅れ、雇用主は国からの払い戻しがないまま給与を支払い続けることになり、小規模企業の深刻な負担になっていたためです。育児休暇中の従業員に給与を支払わない会社も多くありました。小さな赤ちゃんがいて家にいる女性は、最もお金が必要なときに収入がない状態になってしまっていたのです。

この問題を解決するために、ハーバード・ケネディスクールのオンラインコースでコミュニティ・オーガナイジングを学んだ人たちが立ち上げたコミュニティ・オーガナイジングキャンペーン団体「セルビア・オン・ザ・ムーブ」が母親たちとともに立ち上がりました。育休中の親たちへの給与を国が直接支払うよう政府に求める「母親たちに権利を」キャンペーンを開始したのです。

困っている母親たちをオーガナイズ

キャンペーンの同志となったのは、妊娠中の女性あるいは五歳以下の子どもを持つ母親で、育休中の給与支払いの問題を経験した人でした。ゴールは育休中の給与支払いをオンタイムにすること。ゴールを達成するためには全国で二五〇人の女性が必要と彼らは考えました。コアチームは四人のメンバーから構成され、各メンバーがセルビアのある一地方を担当する四人のリーダーからなる地方チームを立ち上げました。そして地方チームの各メンバーはローカルレベルのリーダー二人を担当。そのローカルリーダーは国会議員に話に行くアクションをする八人の女性をリクルートし、チームにしました。最初の四人のコアリーダーは一六の地方リーダーを、そしてその地方リーダーは三二のローカルリーダーを、そしてそのローカルリーダーは二五六人のアクションする母親をリクルートしサポートしたのです（**図7・2**）。

キャンペーンリーダーたちは登場人物マップを分析し、この状況を変え、オンタイムに給与が支払われるようにすることができる複数の登場人物がいることに気づきました。雇用主、商工会議所、政府と国会です。この中でもっともパワーを持つのは政府でした。その当時セルビアではすべての政治的パワーを政府が持っていたのです。しかし「パワーを持っている人に、パワーを求めに行くな」という原則を胸に刻み、まったく予想外の決定をしました。国会に

図 7.2 「セルビア・オン・ザ・ムーブ」のスノーフレーク

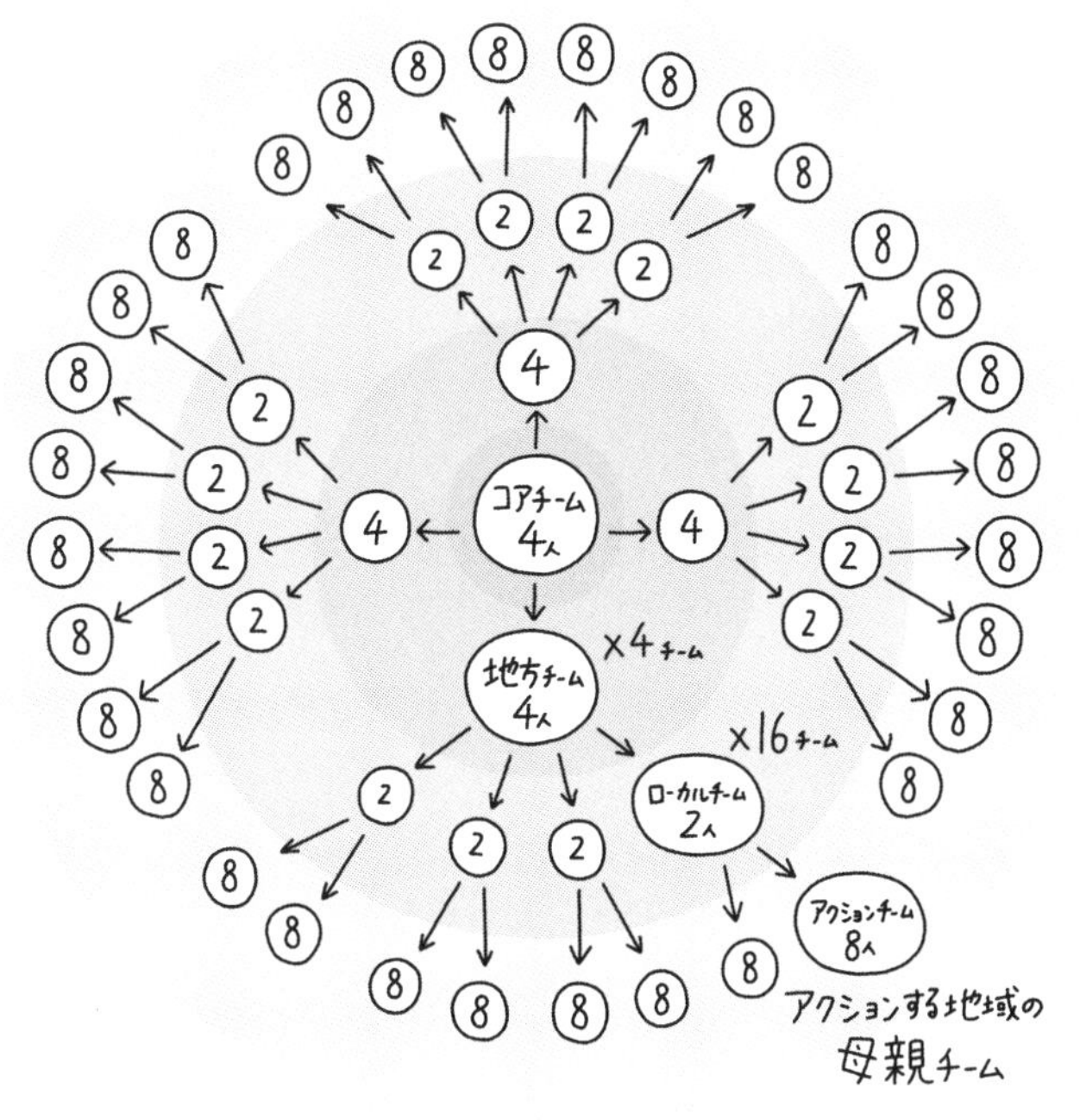

働きかけて政治的なパワーを作り、政府が変化を起こすようにそのパワーを使うことにしたのです。

ベビー服が街中に！

ある日の朝、セルビアの首都ベオグラードの複数箇所で、メインストリートや広場にベビー服の洗濯物が吊り下げられました。人々は「なんでここにベビー服を吊り下げているの」と疑問に思い始めます。フェイスブックやツイッターで #momsarenotalone（ママはひとりじゃない）というハッシュタグを使って写真が投稿されました。そして二〇一四年三月八日に一〇〇人の市民にサポートされた二〇人の母親が国会の前に集まり（**図7・3**）、ベビー服の秘密を明かし、キャンペーンを立ち上げたのです。母親たちは子育てのニーズのシンボルとしてベビー服を吊るし、キャンペーン名称「母親たちに権利を」の名前を掲げました。

議員たちにやりがいを与え、力を生み出す

セルビアでは国会議員にプレッシャーをかけるという行動は非常に珍しいことでした。セルビアでは国会議員は比例代表制で選ばれます。市民は議員に投票するのでなく、党首が出した党の政策に従って投票するのです。また、党首が決めた方針に従って政策に投票するため、議員は代表する有権者がいるように感じず、仕事をする上で有権者のニーズを考慮することはま

図7.3 セルビア国会前に集まった母親たち

れです。

キャンペーン・タイムラインで定めた四月の終わりまでに、二五〇〇人の母親がリクルートされ、国会議員と一対一ミーティングをするトレーニングがされました。母親たちは議員に連絡をし始め、面会を設定します。最初の二週間で二五〇〇人の母親が、二五〇〇通のEメールを議員に送りました。しかし、誰からも返事がありません。

その上、セルビアで大きな洪水が起きてしまい、キックオフアクションの効果が失われてしまいました。何か違うことをしないとキャンペーンがうまくいかないのは明白でした。そこでキャンペーンのペースを落とし、一週間後に再度チャレンジ。キャンペーンメンバーは野党の議員から会う約束を取り付け、キャンペーンへのサポートを得ました。しかし、野党は議会で過半数を持っていません。与党議員に会うことが必要でした。

そこでもう一つの戦術が試されました。ある一日に三〇人の母親が一つの党に電話をし、同じ電話受付担当の人にその党所属の三〇人の議員へのアポを依頼したのです。これがキャンペーンのブレイクスルーになりました。議員は母親たちが真剣であること、無視できる存在ではないほどオーガナイズされていることに気づいたのです。次々にミーティングが実現し、一日で四〇人もの議員と会える日もありました。そして議員らは法を変えることに合意したのです。最初ミーティングを断った議員たちも、乗り遅れまいと慌てて自分から電話を掛けてきました。

法案が賛成多数で議会を通過したあと、キャンペーンのメンバーはメディアに勝利を告げました。翌日、政府の大臣二人がキャンペーンリーダーを呼びました。そしてその年の終わりまでに法を施行することを約束したのです。いきなり政府を動かすのは困難だと考え、議会に働きかけてパワーを生み出したことが実ったのです。しかも、このキャンペーンは予算ゼロ、メンバー全員が無償ボランティアとして関わったものでした。

「母親たちに権利を」のリーダーたちはセルビア政治の中で最もパワフルな政府ではなく、国会議員をターゲットにしました。母親たちが国会議員に会い、要望を届けることで、彼らに「有権者のために働く」というやりがいを持たせたのです。しかしなんといっても成功の鍵は母親たちを地域レベルでリクルートしたこと、そしてその母親たちがオーガナイズされていること（バラバラのまま勝手に動いているのではないこと）を一斉電話で示したことです。これによって母親たちは、議員にとって自らの存在維持のために無視できない存在になったのです。

このように、たとえ社会的に弱い立場に置かれている人たちでも、オーガナイズすることで自分たちのパワーを高め、パワーバランスを変えて変化を起こすことが可能になります。

次章では、国内のごく普通の人たちが起こした変化の事例をご紹介しましょう。

第8章

身近なことから変化を起こす

「変化を起こせるかわからない？　それは戦略とは言わないね。考え直してきて」

ハーバード・ケネディスクールでコミュニティ・オーガナイジングの授業を受けている間、やっと考えついた戦略に対して、ティーチング・フェロー（指導助手）から言われショックだった言葉です。序章でもお話ししましたが、私は持続可能な社会を作るために国連に市民の声を届けて動かすというプロジェクトに取り組もうとして、ティーチング・フェローや講師のマーシャル・ガンツ先生に激しくツッコミ（コーチング）を受けました。

「大きな社会変化を起こしたいなら、それにつながる小さな変化を起こそう。小さな成功を噛みしめ、祝おう。その小さな変化が積み重なり、広がること、またそれを土台にしてより大きな変化を起こす、その連なりで大きな社会変化を起こすんだ」

その言葉を受け、私はしぶしぶ「大学院食堂の食器類をリサイクルできるものに変える」というプロジェクトに変更しました。そして賛同する人たちと共にアクションしたら、実際に変化を起こすことができたのです。

最初は納得できなかった「小さな変化を起こす大切さ」も徐々に実感していきました。ガンツ先生は「ただ活動するのではなく、次の成功につながるような土台（人同士のつながりや関わる人々のリーダーシップ）を作ることを常に心がけよう」と何度も言いました。身近な人たちと関係を作り、組織を作り、リーダーシップを育むことが大切だということです。私が関わったチームは私たちの卒業後も活動を続け、廃棄物の削減に取り組みました。そして、現在ケネディスクールではリサイクルや再資源化が当たり前になっています。

「社会を変える」というと大きな社会課題をイメージしがちですが、それだけが社会変化ではありません。身近なことから変えていくこと、自分の日々の生活を変えることも、重要な社会変化です。そして小さな変化に取り組むことで、社会の変え方や人々との関わり方を学ぶことができます。この章では、コミュニティ・オーガナイジング・ジャパン（ＣＯＪ）で共に学び実践した仲間たちが身近なところで変化を起こした事例をご紹介します。

おやじの会――子どもと地域のセーフティネットを作る

ＩＴ企業に勤める東京都在住の大津真一さん、通称しんさんは、昔は仕事と自分の生活にしか関心がなかった、と言います。変わったきっかけはお子さんの誕生でした。

「この子が大きくなったときに今の社会のままでいいんだろうか」

何か自分ができることからしてみようと行動を開始。二〇一四年にコミュニティ・オーガナイジングのワークショップを受講しに来てくれました。そして走り出したばかりのＣＯＪの事務局に参画。そんなときに、自分の子どもが通う小学校のPTA会長の知り合いから「おやじの会を作りたい」と声をかけられました。

近隣の小学校二校には児童の父親が交流する「おやじの会」があり、うちの学校にも作りたいとPTA会長の男性が言い出し、しんさんにも声がかかったのです。当時二年生の娘さんが学校に通っていて、再来年には息子さんが入学する予定でした。しんさんはコミュニティ・オーガナイジングのワークショップで学んだことを、身近なところで実践することにしました。

まず、中心メンバーとなった人たち数人で、知り合いの父親たちに声をかけ始めました。

丁寧な下地作りが功を奏す

二〇一五年二月、初めての会合が開催できました。彼らの同志は同じ小学校に子どもを持つ父親たち。児童数は約七二〇名。まず一〇人程度の発起人チームでお互いを知り合うことから始めました。ミーティングを三回実施、自己紹介も交えて、どんなおやじの会にしたいか深く話し合ったのです。そして一対一ミーティングの「飲み」バージョン、「サシ飲み」を意図的にPTA会長やキーパーソンたちとしていきました。それだけでなく、近隣小学校など他の小学校のおやじの会会長や経験者にヒアリングし、運営上のアドバイスをもらいました。

当初はパトロールをしたり、お祭りで焼きそばを作ったり、学校のウェブサイト制作を手伝うような「活動するおやじの会」が良いのではという声もありましたが、同志たちの想いが共有され、「顔見知りを作っていくプラットフォーム」にすることになりました。父親たちが顔見知りになることが、いざというときのセーフティネットになる。災害・事件・事故など地域に課題が発生したとき、いじめや学級崩壊など学校で課題が発生したとき、家庭に課題が発生したときなどに助けあえたり、何かしたいときに気軽に声をかけあえたりする、ゆるやかなつながりを作ることにしたのです。そのため義務的な活動や、外部へのサービスになる活動は、団体としては行わないことにしました。

同好会申請のためには会則が必要でもあり、明確になってきたコンセプトを明文化して会則を作りました。ここで共有目的や運営上の「当たり前のこと（ノーム）」が設定できました。

目的――この会は、Ｈ小学校在校生の男性保護者たちが、
遊びやイベントなどの活動を通じてお互いや子どもたちと顔見知りになることにより、
子どもたちや地域にとってのセーフティネットを構築することを目的とします。

また、「楽しいこと、ワクワクすることを大切にする」「リアルで会うことを大切にする」「やりたいことは自分で決め、自主性を大切にし、義務からの仕事はしない」「頑張りすぎない、無理はしない、休憩も大切にする」といった発起人の想いを反映した方針が決まりました。

関係者から協力を得ることも大事です。登場人物を分析し、校長、副校長、ＰＴＡ中心メン

バー、学校支援本部（学校教育を支援するため地域の人が参加するボランティア組織）、地元の商店街会長などに挨拶をしておやじの会の設立を伝え、協力を得ることができました。

設立に向けてパワーを結集！

中心メンバーの相互理解も進み、コンセプト作りも固まり、関係者との関係構築もできたところで懇親会を開きました。中心メンバーの一人が幹事をしてくれました。これは一週間後に控えた会員募集説明会にむけて勢いをつけるための会です。大人二〇名、子どもも入れると三〇名が参加。なんと、校長、副校長、商店街会長も参加してくれました。

おやじの会設立を広く父親たちに知らせるために、中心メンバーの一人がチラシを作成。PTAの経験が長い母親が印刷作業の指導をしてくれました。五月の土曜授業参加日に学校の教室を借りて説明会を開催。二六名の父親たちが来てくれました。結果、発起人一〇名、口コミ一〇名、説明会経由二〇名の約四〇名で、おやじの会が発足しました。

一時の盛り上がりで終わりにするのではなく、持続可能な活動にするために、その後も新しい顔見知りの父親を作るための活動や仕組みを試行錯誤して作っていきました。たとえば土曜日の学校で、父親たち向けの懇談会を一学期に一回のペースで開催し、父親同士が知り合って話し合う機会を提供しました。懇談会のテーマは、「先輩パパの受験経験談」「先輩パパたちによるスポーツ活動紹介」「パパたちが語る子どもたちの未来の世界」「ご近所情報」など。父親

図8.1 おやじの会主催「学校たんけん会」の様子

たち自身が登壇者となり、それぞれが得意なことをテーマにして話しました。

また、毎年四月には、新入生の父親や家族に対して、先輩パパが校内を案内する企画「学校たんけん会」を開催(**図8・1**)。立ち上げから五年たった今では、三〇家族が参加するような目玉企画になっています。さらには学校や地域の情報に疎いパパたち向けのメールマガジンの発行をはじめました。現在では、約一〇〇人の父親たちがこのメルマガを読んでいます。

二〇二〇年の新型コロナウイルス感染拡大の際には、ITに強い父親たちが中心となって学校の教員向けにウェブ会議システムの使い方の説明会・体験会を開いたり、休校中の子どもたちのためにオンラインホームルームを開催したりしました。まさに、何かあったときに協力し合えるセーフティーネットとして機能したのです。

社会は、自分と同志で変えていい

しんさんにとっての大きな学びは「社会は、自分と同志で変えていい」という感覚を得たことだそうです。変革とは従来の「日常」から「新しい日常」への変化であり、小さいものでかまわないということ。「これ、おかしいな」と思ったことを変化させること。「これ、いいかも」と思ったことを実現することが、社会を変えるということだと気づいたのです。そして実践の中で、自分たちで変えた、自分たちで作ったという成功体験や、失敗しても手応えがあったという効力感が大切だと学んだと語っています。

当事者意識を持つ、ということがこの活動の起点にありました。しんさんはまず「自分は何の当事者なのか」を考えるところから始めたそうです。その次に「同じ当事者は誰か」を考えました。同志とは、「特定の課題に対する、私も当事者、あなたも当事者、という相互理解を持った相手」であり、一対一で話し、その課題を共有するところから同志作りが始まります。しんさんはそのことを体感したようです。

成人式を夏から冬に――「文句を言う」から「行動して変える」へ

岩手県胆沢郡金ヶ崎町の板垣泰之さんは、新成人となる若者が同世代の若者をオーガナイズし、行動することで、長年夏に開催されていた成人式の冬開催への変更を実現しました。

金ヶ崎町は岩手県内でも有数の工業団地を有す人口約一万六〇〇〇人の町で、板垣さんはそこで地域おこし協力隊の活動をしていました。地域おこしと言っても農業や観光ではなく、板垣さんの担当分野は、文化遺産を活用した地域おこしです。

宮城県仙台市出身、幼い頃から博物館が好きで足繁く通っていたという板垣さんは、大学院で文化財を専門的に学んだ後、発掘調査員として働きました。そこで遺跡や文化財が日常生活に溶け込んでおらず、このままでは文化の継承が難しいという課題意識を持ち、地域づくりにキャリアをシフトさせました。

文化遺産はそもそも生活に直結するとは思われづらく、地域の人たちの力を結集しなければ活用していこうという機運も生まれません。文化遺産で人をまとめることなど、ほとんどの人はしたことがない。さらに板垣さんは金ヶ崎町に来て「町の人の何かを成し遂げようとする感覚が薄くなっている」と感じていました。特に、若い人たちは遊びに行くなら隣町の北上市や奥州市に出かけてしまいます。金ヶ崎町には何もないという印象を持つ若者が増え、その状況を誰も変えようとしていませんでした。

あきらめている若者たちを呼び止める

地域おこし協力隊として活動をはじめた板垣さんは、若者を中心としたまちづくりをしたいと考えましたが、若者を呼びたくても、まずどこに若者がいるのかわかりませんでした。遺跡を活用したイベントの開催や、古い酒屋をみんなで改装して地域おこしの拠点をつくる催しなどをしても、若者はなかなか集まらず、来てくれても自分たちで何かを企画するほど熱が上がりません。板垣さん自身、若者が何を考えているのか、若者が何を困難に感じているのかがわからない、という状態が数ヵ月続きました。

悩める板垣さんが働いていた金ヶ崎町中央生涯教育センターに二〇一六年度に成人を迎える若者がやってきたのは一月末ごろでした。三、四人のいわゆる今どきな男子たちです。板垣さんが仕事をしながら聞こえてくる話に耳を傾けると、どうやら成人式を冬にしたいという希望を伝えに来館したようです。金ヶ崎町では昔から成人式は夏に開催され、そのことに不満を持つ若者がいたのです。

しかし、行政に相談しに来たものの、なぜ成人式を冬にしたいのか、冬にする必要性やメリットは何か、女子の意見はどうなのか、といった職員の質問に対して、彼らは説得力のある理由を語れないようでした。行政側は長年の慣例を盾にして難色を示します。結局、話は平行線で、若者たちは話し合いが終わっても納得がいかないようでした。

板垣さんは話を脇で聞いて、このままでは若者がこれから先、行政には期待しない、金ヶ崎町には期待できないと感じるのではないか、この町の変わろうとする力を無条件で押し込めるのはもったいないのではないかと考えました。そこで席を立って彼らを呼び留めました。

「話し合い、どうだった？」

「ダメっすね」と一人が答えました。「おっさんたちは頭固いっすから」

「でも、理由を聞かれて『冬が普通だから冬にしたい』だけでは、難しいと思うよ」

「でも、言ってもしょうがない感じっすよ。頭固いから」

すでに諦めている感じの若者たち。しかも、頭が固いの一言ですべてを終わらせています。このまま彼らが成人式を迎えて「やっぱりつまらない町だな」と思ってしまうのは、双方にとって損害です。しかも、金ケ崎町に新成人は二三二人もおり、全員にそういう思いが伝播すると大変だと板垣さんは思いました。

「君らが本当に成人式を変えたいのなら、変えるための方法は話すことができる。ただ俺は動かないから、君らがしっかりとした覚悟を決めたら、連絡して」

そう言って、板垣さんが若者たちに名刺を渡したのが始まりでした。なんと翌日に彼らから連絡があり、酒屋を改装した地域おこし協力隊の拠点で集まることにしました。

第一回の集まりでは八人前後の新成人メンバーが集まり、板垣さんはコミュニティ・オーガナイジングの手法の全体像について話しました。オバマの選挙キャンペーンと同じ手法だと言って関心を引きつつ、戦略やタイムライン、広がる組織作り（スノーフレーク）、人とつながりを作ること、ストーリーを語ること（パブリック・ナラティブ）を中心に話をしました。説明の後には、板垣さんがファシリテーションをしながらメンバーで話し合いました。

一番の問題だったのは、このプロジェクトをなぜしなければならないのかを明確に語れるようになることでした。そのためにナラティブに力を入れる必要があり、以降のミーティングでそこを重点的に話し合いました。出てきた想いは「長い間、先輩たちも冬に開催したいと不満を言っていたのに、何もしないでそのままでいた、自分たちはそうではなくて行動して変えたい」というものでした。また、その過程で、夏になぜ成人式をするようになったのか、自分たちだけではなく、今までの成人式とこれからの成人式を考えなければならないという課題も見つけることができました。

板垣さんが常に気をつけたのは新成人になる彼らが主体であることです。「こうすればいいよ」とか、「こうするべきだ」は厳禁。ここでコーチングが大事になりました。

「成功させるにはどうすればいいと思う？」

「時間ないけど、いつまでにする？」

「大勢の声を集めるにはどうする？」

「集めた声はどうする？」

板垣さんがすることは、若者が彼らなりに動けるように環境を整備することです。コミュニティ・オーガナイジングを伝えるのにワークショップを使いましたが、未経験の人が多く、板垣さんがリードする必要はありました。話の脱線を防ぐためタイムキープも非常に重要でした。一時間が決まっているとその時間に決めようと集中できます。一時間で終わらせるから、話し合いするよ、と声をかけたりもしました。

その他、板垣さんは新聞社の方とつながりがあったため取材の手配なども行いました。ただし、相手の覚悟を確認した上で行います。「アピールするなら新聞社に声かけるよ。やりきらなきゃいけないからね」と。このように板垣さんは新成人だけではアクセスしにくい資源をサポートしましたが、あくまでもパイプ役に徹しました。

新成人たちが出した結論は、アンケートを自主的に取ること、その結果を町に提出することでした。行政側の質問が特に多かったのが、他の新成人や町の人がどう思っているか、という点だったからです。

まちぐるみアンケート

彼らはチームを「成冬会（せいとうかい）」（成人式を冬にする会）と名付けて活動を開始。地元紙の胆江日日新聞に活動を紹介する記事が載り、成人式を冬にしたいという動きがあることを行政側も把握しました。アンケートは最初に町内のスーパーの店頭でもおこなう予定でしたが、スーパーに断られてしまったため、メンバーが個別にアンケートを取りました。想いをしっかりとストーリーとして語れるように練習し、職場や地域の人にお願いして自主的に集めたアンケートは一五五人分に達しました。結果は事前に趣旨説明をしているからか、「冬にしてもよい」「冬がよい」との回答が大部分を占めました。

それに合わせて行政側でも、全町民を対象に無作為抽出アンケートをおこないました。結果は回答率三八・九％のうち五四％が冬の開催に同意。冬開催支持がやや優勢ではありましたが、まだ行政は冬開催を決めきれない様子でした。

そこで成冬会メンバーは、より積極的に動いていることを強調するためにも町長に直接自分たち新成人から結果を提出する機会をもちたいと考え、板垣さんに相談しました。初めは行政側に機会を設けてもらおうと考えましたが、板垣さんが間接的に行政側に相談したところ、町長に直接話をする機会である「ふれあい町長室」という場を利用してはどうかというアドバイスをもらいました。そこで成冬会は町長に直接、自分たちの思いとアンケートの結果を伝えることができたのです。この出来事はまた胆江日日新聞に取り上げられました。成冬会の代表は、「若い世代のこういった動きは、叶えていただく方が、これからの世代のためになるのではないでしょうか」と話したそうです。板垣さんは若者たちにある程度の自信がついてきたことを感じました。

文句を言っても変わらない

行政内部で検討がおこなわれた後に、正式に冬の成人式開催が決定しました。ちょうど選挙権が一八歳になることや、今後の若者の地域活動への参加が期待されたこともプラスに働いたようです。それまで若者発の動きが見られなかった金ヶ崎町で動きを起こしたことが評価されたのです。

もっとも、それは同時に二〇一六年度の成人式に対する見方が厳しくなることも意味していました。これから成人式実行委員会の立ち上げをおこない、自分たちで変えた冬の成人式の一回目を成功させなければならない。その重圧もかかってくるのです。

そんな板垣さんの心配をよそに、行動を起こし理想を実現するコツを学んだ若者たちは、かつてない成人式を一月にやり遂げました。各方面に許可を取り、打ち上げ花火を上げることまでできたのです。

板垣さんが新成人にコミュニティ・オーガナイジングを伝え、見守った経験を振り返り思ったことは「本当に変えたいという欲求があるならば、成長せざるを得ない」ということです。物事を実現するためには、自ら考え、成長し、達成するという、大きな労力がかかることを避けては通れない。若者たちは、アンケートを取り、町長に結果を提出し、これまでにない成人式を企画するということを、彼ら自身で考え実行することで成長しました。

板垣さんは見守る立場にいました。若者たちが自分で行動をとることを望んだからです。途中で彼らが「面倒になったからやめます。夏でもいいです」と諦めてしまえば、それはそれで彼らが出した結果と受け止めようと板垣さんは考えていました。もちろん諦めないでほしいけれど、自分はあくまで主体ではないという立ち位置を守り、若者たちがしたいようにするフィールドを作る役目を果たしたのです。

成冬会のリーダー、阿部輝さんは、それまでリーダーの経験はなかったといいます。冬開催成人式が成功した後、新聞のインタビューに応えて彼はこう話しました。「やりたいことがあればまずはやってみる。文句を言っても変わらない」。

新成人の人たちの中には、これからも金ケ崎町で生きていく人が多くいるでしょう。彼らが人生を面白いと思えることを板垣さんは願っています。そうすれば金ケ崎は面白い町になり、面白い町になれば、町の魅力も、歴史文化も見直され、文化遺産の活用も進み、結果的に文化遺産が守られる。板垣さんはそんなことを思っています。身の回りの、自分の目の届く範囲を良くしていくことにこだわる板垣さんの言葉をご紹介します。

「世界」を変えることは難しいかもしれない。

でも、「世間」は自分が変わり、動くことで目に見えて変化する。

そんな「世間」が集まれば、いつか「世界」も変わっていくかもしれない。

岩手県初の産後ケア施設——母親たちが力を合わせる

「宝くじが当たったらね、でいつも会話が終わっちゃうんだよね」

佐藤美代子さんは岩手県中部地域（花巻市および北上市）で主に活動する助産師さんです。孤独に子育てに悩む母親たちがいつでも助けを求め、心と体を休めることができる産後ケア施設を作りたいと仲間の助産師、保健師たちと話していましたが、「施設」を持つにはお金が必要です。だから「宝くじが当たったらいいね」がいつもの会話でした。

でも、それではいけない、なんとかしなければ、と悩む美代子さんが友人に誘われてコミュニティ・オーガナイジングのワークショップに来たのが二〇一四年八月。最終日には「私、オーガナイジングします！」と宣言するに至っていました。そしてその二年後に岩手県初の産後ケア施設を作ってしまったのです。私はご縁あって美代子さんの取り組みに伴走させてもらいましたので、これまでの事例よりも詳しくご紹介します。

コギャルから助産師、被災者支援へ

美代子さんは岩手県盛岡市出身。小学生のときに両親が離婚し、父親に育てられた美代子さん。高校生から短大時代は「ガングロのコギャル」。反抗的な思春期でしたが、母親が恋しかったそうです。助産師になって、県立病院の産婦人科で働きはじめると、産婦人科の休診が

続発。妊産婦さんの大変さに疑問を感じていました。そこで二〇〇七年に病院を辞め、花巻市で自身の助産院を開業。地元花巻で多くの女性から信頼を集める助産院になりました。

美代子さんが一歩活動を広げたのは二〇一一年の東日本大震災がきっかけでした。花巻でも強い揺れを感じた美代子さんは、内陸に避難してきた方々のお産や子育ての支援を行いました。緊急時支援をする中で、孤独に子どもを世話している母親の姿を数多く見たのです。目に涙をいっぱい溜めて「おっぱいを飲まないんです」と相談する母親。そんな姿を見て、「私もそうだった」と美代子さんは心を打たれました。

美代子さんには二人の子どもがいますが、「助産師なのに子育てが大変と言っては母親失格」と思い、孤独に育児をしていました。特に第一子のときは、産後うつになる一歩手前でした。そんな美代子さんを救ってくれたのは助産師会の先輩お母さんたちでした。子どもを連れていったところ、「赤ちゃん抱っこしておいてあげるから、ゆっくりしてなさい。いつも大変でしょう」と交代で子どもの面倒を見てくれたのです。その言葉にそれまで溜まっていた重たいものがどっと流れ出て、救われたそうです。

「大丈夫だよ。ママ頑張っているね」と存在自体を認めてくれる人に出会い、そっと肩を抱いてもらえると、心が大きく解きほぐれ、女性は安心して子どもと向き合えるようになる。そんな自身の経験から、美代子さんは子育てに悩んだ母親が気軽に助産師に相談に来ることができるサロンを被災地で運営しようと決意。釜石市、大槌町、そして被災者が多く移住している遠

図 8.2 サロン活動の様子

野市で月一回のサロン活動をはじめました（図8・2）。そして二〇一一年九月に助産師ら専門職四人で任意団体「まんまるママいわて」を立ち上げたのです。

母親を救いきれない

地域の公民館などを借りて月一回行うサロン活動では、手作りのおやつ、ハーブティーを提供して、託児スタッフもそろえて母親たちがリラックスできるようにしました。母親は病院や検診などで言えないような日常の悩みを助産師に気軽に相談でき、また母親同士が互いの子育てに共感し、学び合う環境が生まれました。元気になる母親たちの姿に美代子さんは嬉しさを感じていました。

しかし一方で、「被災地支援でたくさんの人に助けてもらったから、これ以上、わがままは言えないです」「家事もしないでお昼寝なんて、パパに悪いし……自分は実家が近いからまだいい方。つらいなんて言えないよ」という声が常にあがります。

核家族化が進む中、夫や両親といった家族や隣近所のような地域の協力を十分得られないままに、妊娠・出産・育児をしている女性たち。「母親が我慢するものだ」という周囲の期待に応えようとする女性たち。結婚や出産により仕事を辞め経済的自立の難しい女性たち。こんなに抑圧された状況で子育てをしても、よりよい社会にはならない。もっともっと若い女性を大事にすることが真の地域づくりになるのでは、と美代子さんは感じました。そのためにサロンから一歩進み、常時母親や地域の人たちが来られる産前産後ケア施設を開きたい、と考え始めたのです。

ただ「まんまるママいわて」の助産師たちにとっては、自分たちの専門を超えてケア施設を作ることは想像し難いことでした。美代子さんは、それでは間に合わない、救いきれないと焦りが募る日々。そんななか、二〇一四年八月に美代子さんはＣＯＪのワークショップに参加し、コミュニティ・オーガナイジングを知ったのです。

弱く守られるべき母親が立ち上がる？

産前産後ケア施設を作ること自体が目的であれば、しっかりした事業計画を作ってお金を出してくれる組織を探すか、もしくは運営費もまかなえるよう利用者に課金するビジネスモデルにして、専門スタッフをそろえて開設することを目指せばいいと思います。問題は、それで問題が根本的に解決するかです。

社会問題は往々にして社会的にパワーのない人のところにおきます。たとえば美代子さんがなんとかお金を集めて専門家スタッフを雇って開設するのと、地域の母親たちが力を出し合い開設するのと、どちらが母親にパワーがつくでしょうか？　前者は美代子さん一人には力はつきます。後者では母親たちが自分たちの持つ力を実感し、リーダーシップも成長させられる、引いては地域の女性全体のパワーが増すことにつながります。

コミュニティ・オーガナイジングに取り組み始めた当初、助産師である美代子さんは、課題の当事者である母親たちを力づけたいと思いながらも、彼女たちは弱い守るべき存在だと思っていました。そんな母親たちと共に立ち上がり産後ケア施設を作ろうとは思えなかったのです。ところが、活動を続けていくうちに「私も『まんまる』の活動を手伝いたい」という母親が増えました。

そして、当事者の母親たちが活動に加わることによってチームに変化が起きました。まず専門職四人だけのミーティングだったのが、人数が増えて、さまざまな意見が出るようになったのです。そういう考え方もあるのか、という新鮮な意見が当事者の母親のメンバーから出され、ミーティングをするたびに、新たに学ぶことがありました。

また母親たちにはかつて事務の仕事をしていた人、ハンドマッサージができる人、そして相手の話を共感しながら聞けるなど、さまざまなスキルを持っている人がいることに気が付きました。

美代子さんが、当事者の母親が共に立ち上がる「同志」たちだと思えた最も大きな瞬間は、組織の大混乱の最中に訪れました。母親メンバーの一人が進み出て副代表になってくれたのです。組織の混乱も意に介せず、彼女は『「まんまる」はこんなに多くの母親に勇気を与える活動なんだから広げていこう』と言ってくれました。「まんまる」の活動で救われた母親の一人だった彼女だからこそ、「まんまる」の活動の本当の価値を知っているのだと美代子さんは気づきました。そして「母親は弱くなんかない、すごく強いんだ」と思うようになりました。

コアメンバーのチームを作る

美代子さんは自分で決断して行動できる、いわゆる「リーダー」です。「まんまる」も美代子さんのエネルギーがあったからこそ始まりました。悩みは、一緒にやっているコアメンバーが「美代子さんが頑張っているから手伝っている」というマインドだったことでした。これでは「美代子さんを手伝うチーム」で、言われたことはやるけど、「自主的に活動し広がっていくチーム」にはなりません。

ただ、メンバーはすでに数年間、活動している人たちです。絶対にひとりひとりに想いがあるはずだと、美代子さんは一対一の対話をして、相手が大事にしている想いを引き出していくことにしました。

対話の中で、被災者であるメンバーからは当時の辛い経験談が噴出しました。自身の妊娠・出産の辛かったことを、涙を流しながら話すこともありました。あまり熱意がないように見えていた人が、実は子育てについて深い想いを持っていることもわかりました。

美代子さんは、想いが共有でき、共に活動していけると思った人たちにコアメンバーになってもらいました。専門職四名だったコアチームは、半年後には八名になりました。新たに加わったメンバーには専門職ではない普通の母親もいます。自分がなぜ「まんまる」の活動に関わりたいのか、自身の原体験を認識したメンバーたちにとって「まんまる」の活動は、やがて「美代子さんの活動」ではなく「自分の活動」になっていました。

二〇一四年一一月から一年かけて、普段の活動とは別に月一回二時間のミーティングを持って戦略を作っていきました。月一回のみのミーティングで、メンバーの想いを出し合いながら、方向性を固め、達成したいゴールを決め、どうしたらそこに達成できるか考えていくプロセスは時間もかかります。しかし、美代子さんはそれまでの話し合いとは違う手応えを感じていました。

特に活動の共有目的を作ったときに、目指す方向性が同じであることを確認できたのです。メンバー一人ずつ、目指したい大きな目標、誰とどんな活動をしたいかを出し合いました。すると、「地域ぐるみで子育てしたい」「一人ひとりの命を大事にする社会を作りたい」といった大きな目標や、「母親が声を上げ、それが届く社会をつくりたい」という「母親を中心」とする活動を目指したいという想いが一致していたのです。

共有目的を一人ずつ出し合い、すり合わせていくプロセスの中で、美代子さんが決めるのではなく、みんなの考えで決めていくのだ、ということもメンバー内で意識されはじめました。

母親たちの力を高める戦略を実行

そしてコアチームはさらに具体的な戦略を作り進めました。「一人ひとりの命を大事にする社会を作りたい」という大きなゴールから逆算して、まず実現したいゴール（戦略的ゴール）を、「週三日親子が日中を過ごし、産後の体と心を休め、母乳ケアや沐浴の仕方を助産師や先輩ママから実地で体得できる仕組みの完成」と決めました。明確な資金のめどのない中、大きな決断でしたが、まず始めることだと決めたのです。

ケア方針も決めました。数万円の利用料を取ればほんの一部の人たちしか来ない、そんなせいたく品としての産後ケア施設がやりたいわけではない。誰でも産後はしんどいから、気軽に休めて相談できるところ。それも上から目線ではなくて、被災経験をし、当事者の気持ちがわかるママたちが、経験を後輩ママたちに共有し、支え合えるところ。そんなケア施設を目指すと決まりました。

そのゴールを達成するために、母親たちが自身の困難を語り、周りに伝えていく力を発揮し、必要な支援の仕組みを作ってみせることで、行政がそのサービスに資金を投入するようになる、という仮説を立てました。そして、この変革の仮説を具現化するために、二つの大きなアクション、「シンポジウム」と「産後ケア研究」を行い、地域から求められる産後ケアとは何かを明らかにして、関わってくれる母親たちや地域の人たちを増やしていく一連のアクションからなるキャンペーンを考えました。

二〇一六年二月、「まんまる」のメンバーたちは産後ケアを考えるシンポジウムを花巻市で主催しました。戦略上の目標は、三〇名の参加者と、そのうち五名を次に行う産後ケア研究を共に行うメンバーとして誘うこと。そして参加者に産後ケアの重要性を理解してもらうこととしましたが、「理解をしてもらう」は曖昧で測定ができず、また具体的な変化につながりません。そこで、アンケートに「産後ケア研究に協力したい人は氏名と連絡先をご記入ください」という項目を設けました。結果、シンポジウムには五四名が参加し、なんと二二名が連絡先を書いてくれました。

こういった目に見える成果と同じくらい、あるいはそれ以上に大きな収穫が、コアチームメンバーの成長でした。「まんまる」から出たシンポジスト二名は、人前で被災体験を語るのに大変な勇気が要りました。体験を語る準備とリハーサルを二人ですることで、人前で語る勇気を得られ、二人のきずなが強まりました。そして当日、自分の経験を語りきり、頑張ってきた自分を認めることができたのです。

このシンポジウムは最初から「まんまる」に関わっていた専門職メンバーと母親中心の新しいメンバーが初めて共に一つのイベントを企画、実施した経験になりました。新旧メンバーが共同作業をし、小さな成功体験を得たことは、メンバーみんなの大きな自信につながりました。

産後ケア研究は当初、大学の研究者に母親たちにアンケート調査などをしてもらう方法を考えていました。しかし研究者にお任せするのではなく、自分も育児当事者である、「まんまる」メンバーがインタビューすることで、母親の想いや悩みを引き出せるのでは、と思い直しました。そこで岩手県立大学と協同で調査設計を行い、質問項目を作り、毎月六名一グループ、五ヶ月で五グループ三〇人の母親たちにインタビューを行いました。

調査チームのメンバーが共に議論し、作業する過程を経て、チームワークは一段と高まりました。また、当初は産後ケア施設を作りたいといっても、産後ケアはまだ新しいコンセプトで定義もなく、コアメンバーの中でもイメージが異なる状態でした。それが当事者である母親から直接意見を聞くことで、どんなケア施設が求められているかがはっきりしてきたのです。目指すべき形がわかってきたことで、チームの一体感も高まりました。

この頃から花巻市が産後ケア施設に関心を持ち始め、「まんまる」に連絡をしてきました。当初は、産後ケアなんて田舎ではぜいたくではないのか、実家に母親がいることの多い岩手県では必要性が薄いのでは、と懐疑的な見方も市側にはあったようですが、「まんまる」の調査研究によって必要性がはっきりと示されるようになったのです。

岩手初の産後ケア施設が誕生

サロン活動を通して一緒に活動してくれる母親をさらに増やし、産後ケアチームに加え、食育チームも立ち上がりました。そして岩手県内の大槌、釜石、遠野という三地域でサロンを開催する、地元の母親たちによるチームもできました。サロンは助産師といった「専門家がやってあげるもの」だったのが、「母親たちが自分たちで開催するもの」に変わったのです。運営に関わる正会員は四名から一六名に増えました。

活動が進化していく中で、離れていくメンバーもいました。コアメンバーの一人が離脱した際には、美代子さんは「私のやり方がまずかったのか」と恐怖に近い感情を覚えたといいます。話し合いをする勇気を持つのに二ヶ月かかりましたが、それまで培った一対一で対話するスキルを活用し、しっかり話をすることができました。一度離れたメンバーでも、しばらく後に戻ってくる人もいました。一時的に関係がこじれても、共にする想いや目指すものが同じだったためです。

九月のケア施設開設に向けて最後まで困難は続きました。予定していた物件が使用できないことが七月にわかったのです。どうにも変えられない法律上の理由でした。そして、九月にオープンするなら、すでに助産院として届け出がされている美代子さんの自宅を使うしかないという状況になったのです。

自宅に毎日人が来るということに、美代子さんはためらいました。しかし応募した助成金が取れています。メンバーのなかでも意見は割れていました。「助成金を返金してやり直そう」という声も、「やるなら今しかない」という声もありました。美代子さんは、自分がもっと早く法律面を確認しておけばよかったのだと自分を責めましたが、これだけみんなの力を結集して準備してきたのに、ここで返金してやり直しにしたら、みんなも資源も離れていってしまう、それにみんなで決めたのだから絶対に実現したい、と思いました。

チームメンバーの「美代子さんが決断するなら、やるよ」という声に押され、そして自分の生活の場も確保できる目途がたったことから、美代子さんは自宅を施設に改装することを決断しました。そして当初の予定を一ヶ月遅らせた二〇一六年一〇月に「まんまるぽっと」を開設することができたのです。

初年度の利用者は五九人。利用した母親たちからはこんな声がありました。

「久しぶりにゆっくりねて、ゆっくり温かいごはんを食べて、話を聞いてもらって、それでいいんだって、これからもこのまま頑張ろうって思えるようになりました」

「何もしないで休むって、家ではできていなかった」

「ここに来るまで、養子にだそうか本当に悩んでいた。ここのおかげで頑張れると思えた」

そして「まんまるぽっと」の活動を報告する産後ケア講演会を二〇一七年二月に開催。五五名の市町村自治体関係者、議員が参加しました。なんと二〇一七年四月には花巻市からの委託が決定したのです。「まんまるぽっと」開設翌年の二〇一七年には利用者が一気に増加。二四九名が利用しました。

二〇一九年現在、「まんまる」は花巻市で産後ケア施設「まんまるぽっと」を九名で運営しながら、岩手県内複数箇所での「まんまるサロン」活動、親子ヨガ教室、食育教室「まんまるキッチン」、講座付き子育てサロン「まんまるお月さま」を展開しています。運営に関わる正会員は三九名に増えました。美代子さんの次の目標は産後ケア施設を岩手県内に広めていくこと。それを美代子さんではなく次のリーダーが中心となってやっていくこと。そのためのリーダーシップの育成に日々励んでいます。

美代子さんが活動を通じて最も学んだと感じているのは、「一人ではできないことを知った」ことだそうです。「想いだけではどうにもならない。仲間と一緒ならできる」。活動当初は「まんまる」内の仲間に自分の悩みを相談できず、もっぱら岩手県内の違う団体の活動家に相談していました。しかし、今は仲間に自分の悩みを打ち明けられる。「弱さをみせる強さ」も美代子さんは手に入れたのだと思います。

第9章

政治を動かし、法を変える

「裁判所はその日の天気（weather）に影響されてはならない。しかし時代の情勢（climate）には影響されることは避けられない」

これは『ビリーブ 未来への大逆転』という映画の中で、著名な憲法学者が学生たちに話したことです。法律というものは、その時代の人々の考え、状況を反映して作られます。状況が変わったら、法律も変えていかなければいけません。ただ往々にして、法律の改正が追いつかず、現在の私たちの考えを十分に反映していないことがあります。誰かが変えてくれる保証はありません。変わる速度を早め、確実に私たちの考えや状況を反映する法を作るためには動く必要があります。

この章では日本で法律を変えた事例として、最近私自身が関わった刑法性犯罪改正ビリーブ・キャンペーンについて詳しくお話しすることで、法律や制度を変えるために行動していくことのイメージを持ってもらえたらと思います。

一一〇年ぶりの大改正——刑法性犯罪改正ビリーブ・キャンペーン

「今を生きるみなさんの多くが『それは悪いことだ』と考えることを取り締まるのが刑法です。

でも、今の刑法性犯罪は一一〇年前に作られたまま」

これは日本の刑法学者が私たちの主催した勉強会で冒頭に言ってくれたことです。

性犯罪というと多くの人には無縁の話と思われるかもしれませんが、内閣府の調査で「無理やり性交されたことがある」と答えた人は女性全体で七・八％、二〇代から四〇代の女性で約一〇％に上ります。誰かに相談した女性は全体のうち約四〇％、警察に相談した女性は二・八％。女性に比べれば少ないですが男性も一％以上の方がレイプ被害に遭っています（セクシャル・マイノリティの統計データは残念ながらまだありません）。男女いずれも性被害に遭った人の七割は生活上の変化があったと言っています。厚生労働省のHPには戦闘を経験した人の半数弱がPTSDを発症するとありますが、性被害者では六割に上るとも言われます。被害は一瞬ですが、その後何年も何十年も後遺症に苦しむのです。

日本で性犯罪は刑法で規定されていますが、制定されたのは一九〇七年。それから一一〇年間、抜本的な改正は行われてきませんでした。

二〇一四年九月、松島みどり議員が法務大臣に就任し、性犯罪の規定の見直しを法務省に指示しました。検討会、法制審議会を経て出てきた法案は、性被害の実態に十分に対応したものではなく、以下のような問題点がありました。

・国際的には「同意がない性行為」を性犯罪とする流れがあるが、「暴行・脅迫がある性行為」と定義が狭い。

・レイプの七五％が知り合いからの被害であり、多くが家族、学校、職場での上下関係に乗じて、被害者が拒否しきれない状況で起きるにもかかわらず、その点への配慮がない。

・性被害、特に子どもの被害は直後に人に相談することが難しいが、時効がほかの犯罪と同じ。諸外国では性犯罪時効はこの点が配慮されている。

・性交同意年齢（性交の意味やリスクを理解した上で同意の意思を示せる年齢）が一三歳とされている。つまり義務教育も終わっていない状態で性交に同意をする能力があるとみなされる。諸外国では一八歳や一六歳。

もっとも、問題点は残るものの、改正案は被害者を守る上では大きな前進を示してもいました。

・親告罪から非親告罪に改正。これまでは加害者を訴えるには被害者の意志が必要だった。今後は犯罪性を考えて警察が決定する。

・親などからの強制性交等やわいせつな行為は子が一八歳まで暴行脅迫がなくても犯罪に。

・性犯罪への量刑が重くされる。強姦罪（強制性交等罪に名称変更）は三年以上から五年以上の懲役に。

しかし改正案が出されても、国会でも世論でも刑法や性犯罪に対する関心は低く、いつ国会を通るのかわかりませんでした。また先に述べた問題点を改善すること、将来さらに改正できるように余地を残すことが必要です。そこで「一一〇年待った、もう待てない」と立ち上がったのがビリーブ・キャンペーンです。今まで語られることがほとんどなかった性暴力について、当事者が語り、想いを共にする多くの人たちも語り、今までにない動きを若者やアーティストが作り、高い高い壁だと思っていた国会に声を届けられたのです。

四団体連合のキャンペーンを立ち上げる

私は「ちゃぶ台返し女子アクション（ちゃぶじょ）」という、女性をはじめとするあらゆる性の人が自分らしく生きる、そのために声を上げることを勇気づける団体を仲間たちと運営していました。ちゃぶじょを始めたきっかけは、留学時に自分も含め周りの日本女性が母や妻という役割中心で自分のために生きづらいことに気づいたためでした。しかし、根っこにあった経験は私が二二歳、新入社員のときに経験した、上司による同意のない性行為だったのです。被害後一五年間、自分を責め続けた私でしたが、ちゃぶじょのメンバーの励ましにより自分を好きになるきっかけを掴めました。そして、諸外国では同意がない性行為がそれだけで性犯罪とされること、性暴力が上下関係の中で起こり得ることが配慮されること、そして逆に日本は一一〇年前の法律が運用され、国際的にも取り残されている状態であることを知り、立ち上がりたいと思ったのです。

しかし、法律を変えるキャンペーンなんて一団体で起こすのは到底無理と感じ、刑法や性暴力に対する専門知識のある団体と連携したいと思いました。そんなとき、「NPO法人しあわせなみだ」という性暴力撲滅に向けた啓発活動を行う中野宏美さん、「性暴力と刑法を考える当事者の会」代表の山本潤さんと知り合いました。山本さんは実父に一三歳のときから七年間性暴力を受けた経験を実名で公表し、活動していました。また、多くの人に問題を気づいてもらうため、特に被害を経験しやすい若い世代に届けるために、以前ちゃぶじょと協働したことのあるアーティストグループ「明日少女隊」とも連携したいと考えました。

それぞれの方と一対一ミーティングをして、彼女たちの刑法を変えたいという想いや、性暴力に対するコミットメントが強いことを確認し、キャンペーンについて三団体に声をかけたところ、やってみよう、と合意してくれたのです。

四団体が一つになり、ゴールを共有できるように、二〇一六年九月一九日に開催したキックオフミーティングでは、なぜこの刑法改正に関わりたいと思うのか、自分の体験を踏まえて一人ずつ話す時間を取りました。そして戦略を練りました。日本では国会に提出された法律案がそこから大幅に変わることは難しい、という驚きの現実を初めて知りつつも、法律の足りないところを指摘するものに「附帯決議」というもの（議決された法案に追加される、施行につい

図9.1 ビリーブ・キャンペーンの戦略的ゴール

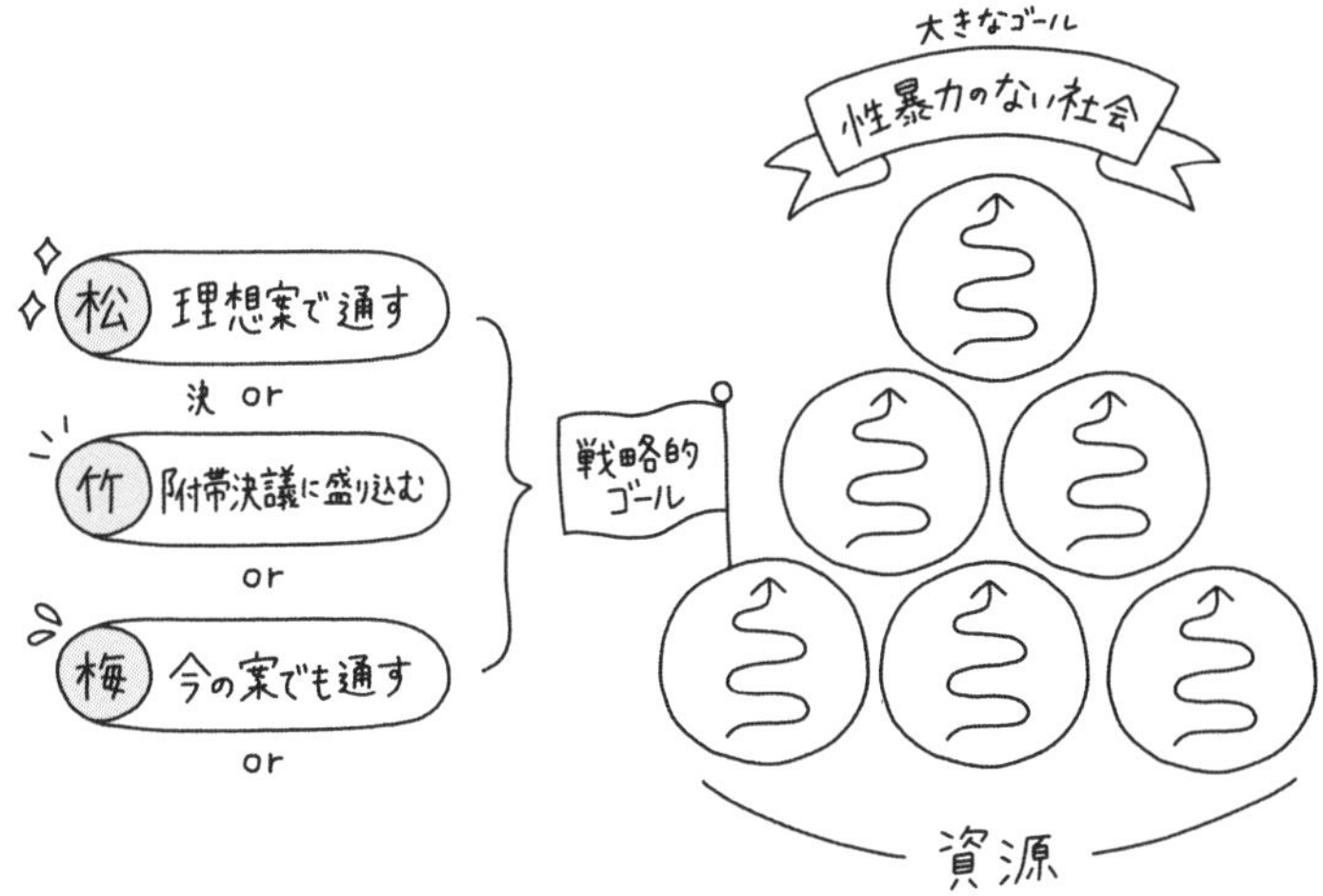

ての意見や希望などを表明する決議）があることを知りました。そこで、プロジェクトの戦略的ゴールを三段階に設定したのです（図9・1）。この松竹梅ゴールの設定は、達成が難しい活動のときにおすすめです。梅ゴールでも達成は嬉しい成功になります。

- 最も望ましいゴール……刑法改正が私たちの望むように暴行脅迫がなくとも犯罪となる等に変わること
- 中程度のゴール……附帯決議で三年後の見直しを盛り込むこと
- 絶対譲れない最低ラインのゴール……平成二九年通常国会で刑法改正を今の案でもいいので通すこと

戦略の中では、①誰をターゲットにして

ロビイングをするのか、②無視できない社会の動きを作るためにはどうするかも話し合いました。ロビイングのターゲットは刑法改正を審議する法務委員会に属する議員。全員は難しいので議員の経験や当選回数から二〇名を選ぶ、また各党の法務部会長が別にいるのでその議員一〇名の合計三〇名としました。

社会の動きとしては、オンライン署名、ウェブサイト作り、アートパフォーマンスなどのアイディアを考えましたが、何をするとアクションしてくれる人が増えるかはあまり見えないままでした。ただ、今まで声を上げていなかった人たちが共に声を上げることで動きが作れるのではという仮説に基づき、大きなタイムラインを策定（**図9・2**）。キャンペーンの主要な意思決定は

図9.2 ビリーブ・キャンペーンの行動計画

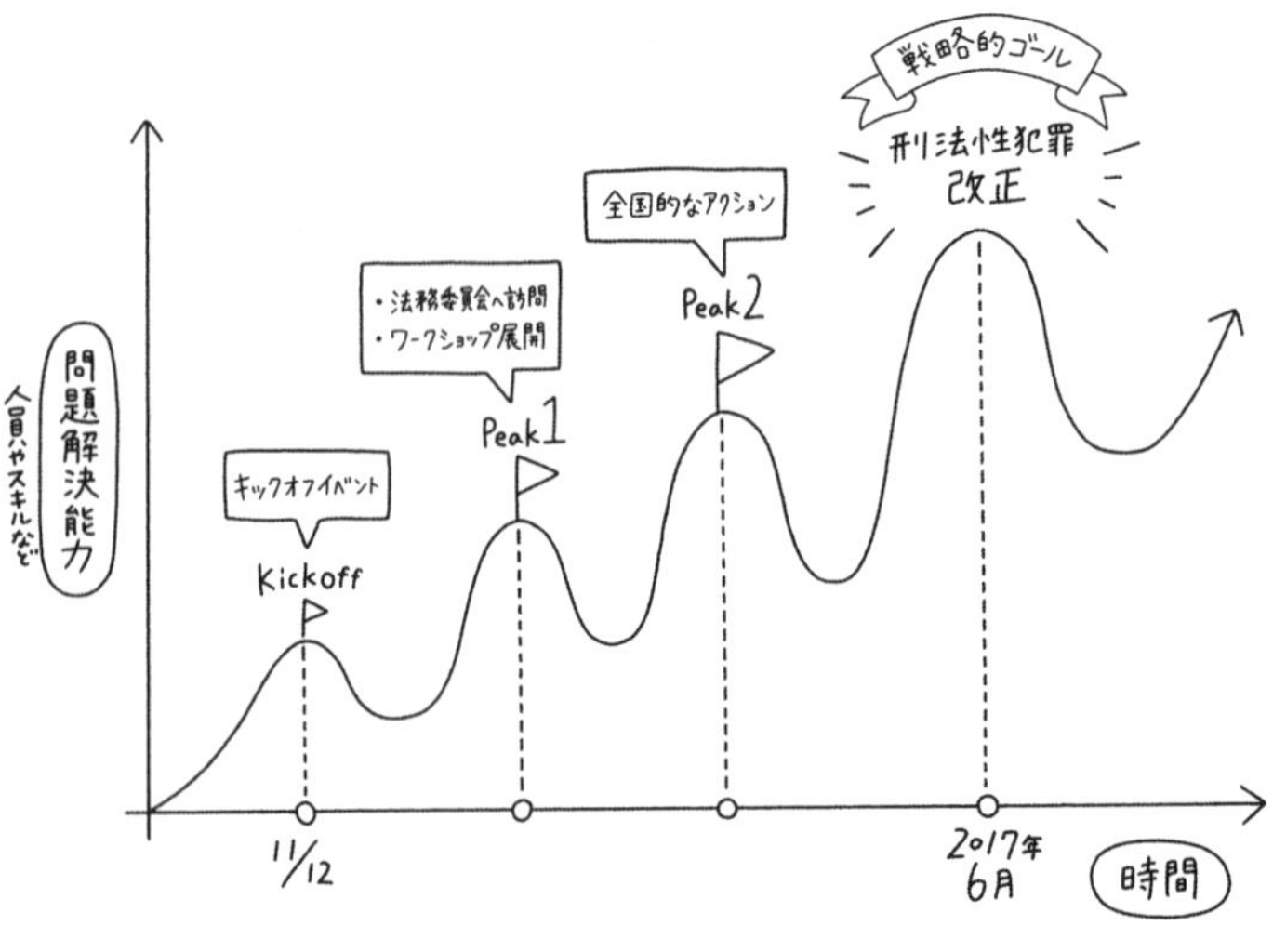

四団体の代表が行うことにし、役割分担も決めました。

議員・市民両方に働きかける

右も左もわからないロビイング

ロビイングは中野さん、山本さんと私が主に担当です。しかし三人ともロビイングなどしたことがありません。ターゲットとした法務委員で直接連絡がとれる人はゼロ。無名で大組織の所属でもない私たちは、正面玄関から電話していくより、知り合いから紹介をしてもらうのが有効だと考えました。とにかく頭を絞って議員を紹介してもらえそうな知り合いに当たりました。

二〇一六年一〇月から、なんとか議員に会えることになりましたが、何をどう話したらいいかよくわかりません。そんなとき、国会に詳しい人から、「どう進めたらいいかわからないからアドバイスがほしい」という姿勢でいくほうが色々とサポートしてもらえると教えてもらいました。

ロビイングには「性暴力と刑法を考える当事者の会」が作ったブックレットを持参し、問題点がわかりやすいと議員から好評でした。要望書は一枚にまとめて持っていきましたが、今回の法案の場合、刑法改正を最低でも実現したい、と思っていたので、要望の中に議員が比較的容易に実現できそうな要素が入っていたこともプラスであることに気づきました。もちろん、私たちの最も望ましいゴールも入れていましたが、一つも実現できそうもない要望を持ってこられても議員として次の行動が取りにくいようです。

議員と話すときも要望書や法律への疑問を説明するだけでなく、被害の経験を話しました。被害当時だけでなく、被害後に長年付き合わなければならないPTSD、心の重荷、自信喪失などについてもです。性被害の当事者メンバーにとって自分の体験を毎回話すことは正直心身に負荷がかかることでした。しかし、法律論から入ると反論されたり、興味を持ってもらえなかったりすることも、ストーリーから入ると共感してもらえることに気づきました。

議員の方の中には、自分の党だけでなく、党派を超えて会うべき人を紹介してくれる人もいました。中野さんは福祉職員、山本さんは看護師、私はNPOスタッフと全員他の仕事をもちながらロビイングするため、ロビイングは月二回で水曜日と時間を決めました。そして少しずつロビイングに一緒に行ってくれる人を増やし、多い時には七名ほどで行けるようにもなりました。ロビイングには授業の合間に国会に来られる東京近辺の大学生も多く参加してくれました。

議員と単純に会って要望するだけでは不十分です。登場人物を理解し意思決定ができる人が誰なのかを理解することが大事だと思っていたのですが、誰にたずねても国会での物事の決まり方がよくわかりません。二〇一七年一月に通常国会は始まったものの、いつのタイミングで刑法が審議されるのかもわかりません。与党が重要法案と位置づける「テロ等準備罪」も議題になるという話もありました。どうしたら審議が進むのかわからず、暗闇の中を毎日進んでいるような感じでした。

一般の人たちをまき込む

私たちは特に性被害にまきこまれやすい若い世代、特に社会との接点が増える二〇代の人たちを、キャンペーンに参加してもらいたい同志と思っていました。そのために親しみやすいキャンペーン名称「ビリーブ・キャンペーン」を決めました。

「明日少女隊」はアートという得意分野を活かし、性暴力が女性だけの問題と捉えられないよう配慮することとともに、ターゲット層である二〇代の若者の声を聞きながらデザインやアートの制作を進められるようアートディレクションしました。テーマカラーは、日本に住む性暴力被害を受けた方々に聞き取り調査をした結果、「赤は暴力を思い起こしやすい」「黒は気持ちが暗くなる」という意見をもらったことと、性別を意識させない若者が好む色がよいと考え、ターコイズブルーを採用。ロゴはポジティブでかつ若年層の心に響くようなエッジの効いたものにしようということで、翼の形のシンボルにしてデザイン。また、ウェブサイトも立ち上げ、情報発信のための準備を整えました。

最初の社会への働きかけをどうするか、みんなで模索し、創造的なアクションを考えました。日本の刑法と一般の人々が考える性暴力との乖離を知ってもらうために作った漫画街頭アンケートです。性暴力となり得る状況を漫画で説明し、性暴力と思うかどうかを問う内容でした。東京大学、創価大学、慶應大学、横浜市栄区主催の女性支援関連のフェスティバル、またSNSで拡散してオンラインでも実施し、二六四四人の方に参加してもらいました。その結果、法案では性犯罪とならない事案に対して、ほとんどの人が性暴力と考えることがわかったのです。これは議員に対するロビイングで「これだけ社会の認識と法律に乖離がある」と示す材料になりました。街頭アンケートはその後、ビリーブ・キャンペーンのイベントで毎回配布し、啓発活動に利用しました。

オンライン署名もキャンペーン当初から行いました。性暴力は「被害にあった人が悪い」と言われることがあります。そのため極めて声を上げにくいテーマです。オンラインなら声を上げやすいのではないかと考え、オンライン署名プラットフォームChange.orgで署名を募りました。募集にあたってこだわったのは実体験のストーリーです。被害を追体験できるよう、詳細は語るけど長くなりすぎないようにすること。悲劇で終わるのでなく、動けば変えられるという希望を感じられるようにすること。法律の説明も読み手が興味を失わないように簡潔にすることを心がけました。

署名サイトを立ち上げたのは二〇一六年一〇月半ば。幸いなことにすぐに署名数を伸ばし、一ヶ月で一万三〇〇〇筆ほど集まりました。たくさんの応援コメントが寄せられましたが、多くの人が自分自身の性暴力被害の体験を綴ってくれたことに勇気づけられました。

参加してくれる人を増やすには

しかしオンライン戦術はワンクリックだけの付き合いで、リアルな関係性、一緒に何かアクションをしていくコミュニティにはできません。

性暴力を経験した人、性暴力をおかしいと思う若い人々をオーガナイズして、アクションを起こせるコミュニティを作りたい。強い想いとは裏腹に、私たちは大苦戦しました。一一月に開催したキックオフイベントには一〇〇名近い人が参加してくれましたが、次のアクションまで一緒に進む人が予想より少数でした。またそれ以降、なかなかイベントに人が来てくれません。

参加しにくい理由を女性の友人たちに聞いてみると、わいせつな雑誌や媒体が公共の場にも多くあることや、性暴力に遭うのは性的魅力があるからだという勘違いをする人が多く、社会問題としての認知が低いことにも気づきました。そしてそのような社会情勢から、性暴力のイベントに行くのは、自分が被害者だ、または被害に遭うような人だ（私には性的魅力がある）と言っているような気がして参加しにくい、と思われていることがわかりました。

「性暴力をいかに社会問題化するか」。ちゃぶじょメンバーで話し合いました。大澤祥子さん、鈴木萌さんが英米の大学での性教育を調べて、新入生のオリエンテーションで「性的同意」についての教育が必ず実施されている大学があることを突き止めていました。性的行為をする際に、アクションを起こす側が相手の意思を確認する、ということを教えるものです。これを体験的にワークショップで教えていることも知りました。この「性的同意とは何か」をより多くの人に知ってもらうことで性暴力も減らせるし、日本の性の現状がおかしいと問題提起できるのではと考えました。

そこで二〇一七年一月末から、「性的同意ワークショップ」を開発していきました。メンバーに数人大学生がいたことから各大学で性的同意ワークショップを実施してもらい、大学生と共にアクションして、性的同意が大事だという社会のうねりを作っていくことにしました。

参加者を増やす上で難しかったのは活動の継続です。性被害を経験した人は熱い想いを持っているのですが、活動によってトラウマの経験が蘇り体調が悪くなることがよくありました。そんなとき、ある熟練オーガナイザーから「当事者の人たちだけの運動になると弱い。当事者でない人、広く多くの人が関わりやすい運動にすることが大事」とアドバイスを受けました。

そこで、性暴力関連の活動には普段関わっていないような人とも連携、協力できるように、さまざまな分野の人と一対一のミーティングをしていきました。その中で、動画で社会問題を伝える女性たちの勉強会「毎日女性会議」とつながることができ、刑法改正について分かりやすい動画を作ってくれました。動画は公開してすぐ再生回数が約二万回に達しました。

「明日少女隊」もアートの力を使って参加してくれる人を増やしました。翼のシンボルを使って、紙製の翼のマスクも作り国会前でパフォーマンスをするビデオ作品「ビリーブ・マーチ」を制作。東京都内のアート展にこのビデオ作品、マスク、プラカードを出展しました。会場内に観客と対話する場、名付けて「女子力カフェ」(従来の「女子力」を再定義したいという意味で女子力を使っています)も作り、これまで刑法性犯罪の問題について知らなかったという若者たちに直接語りかけました。一五〇〇人が来場したことに加え、アート界において女性アーティストが性暴力被害を訴えるということが珍しいことで、大きなインパクトがあったそうです。

そしてイベント参加者などで活動に関心を持ってくれた人たちとは必ず一対一のミーティングをして、一緒に活動できそうならチームに入ってもらい、少しずつでもチームメンバーを増やす努力をしました。

法改正への道筋

変革へのうねりを起こす

キャンペーンの途中はメンバーにもさまざまなことが起きました。職が急に無くなった人、会社を辞めることにした人、私は一週間ほどの手術入院も経験しました。また途中で四団体がバラバラになりそうな時期もあり、「最後までやりきれるんだろうか」と不安な時もありました。

そんな中、一つのブレイクスルーのきっかけとなったのが二〇一七年三月一五日にキャンペーンで初めてひらいた院内集会でした。ちょうど予算審議が終わる三月に刑法の審議を一日でも早くしてほしい、性的同意を大事にする法にしてほしいということを訴える院内集会を企画したのです。

大学で性的同意ワークショップを広めるキックオフにしたかったので、大学生に来てもらうことにしました。知りうる限りの大学生に声をかけ、三〇名の学生が参加してくれました。大学生が真剣に性的同意について議論する様子を国会議員は目の当たりにし、議論の輪に入る議員もいました。議員は超党派で約二〇名が参加。終わった後に各大学でこのワークショップを自分たちでしてみないかと声をかけた結果、東大、慶應大、上智大、創価大、国際基督教大でやってみたいという学生が複数人いてチームを作ることができました。そのリーダーたちをコーチングして、学生たちが自らのキャンパスでの性的同意ワークショップを複数箇所で開催することができたのです。

そしてこの日は、ロビイングでも光が見えました。法務委員会所属で、自民党国会対策副委員長をする赤澤亮正議員と会うことができたのです。恐る恐るこちらの要望を説明し、また私たちの体験を話し終わって何を言われるのかドキドキしていると「今の法案は通したくて、でも足りないところがあるからなんとかしてほしい、ということなんですね」と一言。性犯罪の厳罰化には賛成であること、性被害に大変な実態があることを知らせてくれたことへの感謝、全力でこの国会中に刑法改正案を通したい、と言ってくれました。国会対策副委員長というのは法務委員会で次に何を話し合うかを国対委員会と連携しながら決める役割を担う、ということも初めて知り、今まで「誰がどうやって次にどの法律を審議すると決めているのか闇」だったのがやっと光が見えた気分でした。

その頃ちょうど山本さんが自身の実父からの性被害体験と被害後の困難について綴った著書『13歳、「私」をなくした私——性暴力と生きることのリアル』も出版され、議員の人たちに、さらに性被害の深刻さについて理解を深めてもらうことができました。また、施行についての意見や希望などを表明する「附帯決議」の案を作ってみては、という公明党の秋野公造議員からの提案で、プロジェクトメンバーで案を作り始めました。超党派の議員からも私たちの附帯決議案に対して賛同をしてくれる声をたくさんもらいました。ロビイングでも具体的な成果が出せる実感が少しずつでてきました。

光は見えたものの、国会はあと二ヶ月の二〇一七年六月中旬で終わる予定。テロ等準備罪が揉めており、その審議だけで国会は閉幕しそうでした。刑法は絶対改正しないとまずい、というプレッシャーを作るにはどうするかが課題です。

私は以前から踊りとか楽しい要素を社会運動に取り入れたいと思っていました。そこで盆踊りみたいに誰でも踊れるダンスを作って広めてはどうか、と提案。キャンペーンで一緒に活動していた、ダンサー・振付家くはのゆきこさんが自分の想いを体で記号を作るイメージで表現する「記号カラダンス」というものを提唱していました。ダンスの苦手な人も、身体に障がいのある人も身体で表現できるダンスです。「Happyな性の社会にしたい！」「刑法を変えたい！」というテーマでそれぞれ思いつく記号を考えてもらい、インスタグラムやツイッターなどで発信しつつ、事務局に送ってもらう、というアクションを展開。一〇〇人以上の人が参加してくれました。

改正の最後のうねりを作るための二〇一七年五月二八日のラストイベントは、キャンペーンに関わってくれたメンバーの力が結集した場になりました。今までの成果や、大学生の性的同意を広める活動について紹介したのちに、性犯罪に詳しい村田智子弁護士、性暴力の映画「月光」を作った小澤雅人監督、モデル・女優の土屋アンナさん、キャンペーンメンバーから山本潤さんの四人で対談。おかしいことは変えていかないとね、という意識を共有しました。

そして、くはのゆきこさんが一〇〇人以上の素材から作った「記号カラダンス」を全員で踊りました。会場には二〇代の若い人が、女性だけでなく男性も相当数いました。イベントの中で参加者の人たちがとても楽しそうに対話していて、深刻な社会問題にもこんなにポジティブ

図9.3 署名提出後の記号カラダンス

に取り組めるのだ、と私自身もびっくりしました。最後にはオンライン署名を広げることを呼びかけ、また一人ひとりに金田大臣へのメッセージを書いてもらいました。金田大臣への署名提出は二〇一七年六月七日に決まりました。

六月七日は、ちょうど衆議院法務委員会で刑法が審議される日でした。委員会を傍聴し、議員たちによる質問を聞いた私たちは感動しました。まさに私たちが議員になげかけていた『暴行・脅迫』要件が残って、本当に被害者が救われるのか」「性的同意の大切さなど性教育はどう考えているのか」という質問を、党派を超えた議員たちが、大臣や法務省、最高裁判所に対して、委員会の場で聞いてくれているのです。私たちの声を代弁して刑法のおかしさについて問い質してくれている。議員との一体感を感じた瞬間でした。

大臣への署名提出時には、赤澤議員の呼びかけで、党派を超えて法務委員会所属のたくさんの議員が駆けつけてくれました。平日夕方にもかかわらず仕事を早退して来てくれたキャンペーンメンバーもいて、二五名が集まりました。署名提出後は全員で「対等」を意味する記号カラダンスを行いました（**図9・3**）。大臣は両手でハートマークを作る「愛が大事」がいい！と自ら選んでくれて中心でダンス）。党派の異なる議員も私たちも一つの想いでみんながつながった、一体感を覚えた瞬間でした。この日提出した署名は三万筆を超えていました。

ついに改正が実現！

署名提出から約一週間後、刑法改正案は超党派の賛同により可決しました。

国会がテロ等準備罪、政治スキャンダルで荒れるなか、ほとんどの議員や国会関係者、記者は会期中の可決はないと考えていました。しかし改正は会期末ギリギリに実現しました。また法案から抜け落ちた問題点についてもビリーブ・キャンペーンが要望した内容が附帯決議として実現したのです。ポイントは以下のとおりです。

- 性犯罪が、被害者の人格や尊厳を著しく侵害する悪質重大な犯罪であること、その心身に長年にわたり多大な苦痛を与え続ける犯罪であることが明記
- 抵抗しきれないほどの暴行・脅迫があるから性犯罪と認める従来のあり方に問題が指摘さ

図 9.4 ビリーブ・キャンペーンの流れ

2014.9		・松島みどり法務大臣就任会見
2014.11		・法務省「性犯罪の罰則に関する検討会」開始
2015.11		・法務省 法制審議会一刑事法（性犯罪関係）部会開始
2016.9	・4 団体キックオフミーティング	・法務大臣への答申 ・刑法改正法案の提出時期は未定とコメント
2016.10	・オンライン署名立ち上げ ・街頭アンケート開始 ・ロビイング立ち上げ	
2016.11	・キックオフイベント 「ここがヘンだよ日本の刑法」 ・ウェブサイト公開	
2016.12	・ロビイング本格化	
2017.1	・同意ワークショップ立ち上げ ・明日少女隊ビリーブ・マーチ撮影	・通常国会開会
2017.2	・山本潤出版記念パーティー ・映画「月光」上映会 ・ビリーブ・マーチ＆トークイベント開催 ・他団体と共同し性的同意ワークショップ開催	・参議院で先に刑法が検討されるかも、という「参議院先議」の話が持ち上がる
2017.3	・大学生との性的同意ワークショップ ・院内集会 ・刑法勉強会 ・性的同意ワークショップ改善 ・札幌で性的同意ワークショップ開催 ・愛知で地域ロビイング	
2017.4	・エア花見開催 ・動画「レイプされた私が悪いの？」公開 ・早く刑法を改正してほしいSNSキャンペーン ・自民党司法制度調査会ヒアリング参加＆記者会見 ・大学キャンパスでの性的同意ワークショップ開催	・刑法より先にテロ等準備罪が審議入り決定
2017.5	・ダンスプロジェクト始動 ・大学キャンパスでの性的同意ワークショップ開催が拡大 ・鳥取、岩手で地域ロビイング ・ラストイベント	・5 月下旬テロ等準備罪が衆院通過
2017.6	・金田大臣へ署名 30,000 筆提出 ・参考人として山本が参議院法務委員会へ招致 ・最終的に署名は 54,000 筆に	・6 月初旬改正案審議開始 ・8 日に衆院、16 日に参院通過

れているため、被害者心理を調査研究すること、司法警察職員、検察官及び裁判官に対して、性犯罪に直面した被害者の心理等について研修を行うことを規定

・性犯罪等被害の実態把握調査をすることを規定

さらに法律の一部とみなされる「附則」として、この改正から三年後にさらなる改正が必要か検討する条項が入りました。

こうして目的を実現したビリーブ・キャンペーンですが、三年後の検討にも備えるため、キャンペーンが終わった後に一般社団法人Ｓｐｒｉｎｇ（http://spring-voice.org/）が発足しました。性被害当事者と支援者が声を上げ、刑法をさらに改正する団体として二〇一七年七月に山本潤さんが代表になり立ち上げたのです。それまであった「性暴力と刑法を考える当事者の会」を発展させた形です。三年後に見直しを検討はするけど、さらに改正するかは保証されていません。市民の声を膨らませつつ、当事者の声を国会に届ける活動をしています。

なぜビリーブ・キャンペーンはうまくいったのでしょうか？　一番大きい要因は、国会議員と関係を構築し、ロビイングで要望を通すという「インサイダー戦略」と、オンライン署名や性的同意ワークショップという社会のうねりを作る「アウトサイダー戦略」を両方しっかりやったところでしょう。「変革の仮説」を作った際に、両方やることが大事だと私たちは考え

ました。法律を作りたい、変えたいというとき、市民活動をする人たちは往々にして、議員や官僚に要望を伝えることだけに集中します。しかし一般の市民の関心が薄ければ議員も官僚も関心を持ちにくく、プレッシャーも感じにくいのです。

インサイダー戦略では特に委員会、国会の議題を決める「アジェンダセッター」を見つけられたことが大きかったです。これは、変革の仮説を考える上で大事だと紹介した質問「ほしいものを手に入れるために必要なものは誰が持っているか？」で、キャンペーン期間中、常に追求しました。そしてアウトサイダー戦略では、性的同意を伝えるワークショップなど問題の本質に切り込んだアクションを普通の人々がすること、そしてアクションの新規性によりメディアに報道されることによって、政治を動かすプレッシャーを生み出すことができたのです。つまり専門家ではない普通の人たち、大学生の資源からパワーを生み出すことができたのです。

【ビリーブ・キャンペーンについて】
・ホームページ　https://www.believe-watashi.com
・ビデオアート作品「ビリーブ・マーチ」　https://www.youtube.com/watch?v=flSqYBdTyZM
・動画「レイプされた私が悪いの?～守ってくれない日本の刑法～」　https://www.youtube.com/watch?v=phziAS1F5l4

【参考文献】

・内閣府　男女間における暴力に関する調査（平成29年度調査）http://www.gender.go.jp/policy/no_violence/e-vaw/chousa/h29_boryoku_cyousa.html
・産経新聞【閣僚に聞く】　性犯罪の厳罰化を検討　松島みどり法相　https://www.sankeibiz.jp/compliance/news/140927/cpb1409270924001-n1.htm
・第１９３回国会閣法第47号　附帯決議　刑法の一部を改正する法律案に対する附帯決議　http://www.shugiin.go.jp/internet/itdb_rchome.nsf/html/rchome/Futai/houmuC902012E465436A34925813D001C83EE.htm
・参議院　委員会の活動（１）法律案の審査　（附帯決議について）　http://www.sangiin.go.jp/japanese/aramashi/keyword/katudo01.html
・平成二十九年法律第七十二号　刑法の一部を改正する法律　附則
・厚生労働省　ＰＴＳＤ　https://www.mhlw.go.jp/kokoro/speciality/detail_ptsd.html

おわりに

コミュニティ・オーガナイジングの本を出したい、というのは二〇一四年、特定非営利活動法人コミュニティ・オーガナイジング・ジャパン（COJ）を設立した当時から、よく同僚たちと話していたことでした。しかし、ワークショップを提供したり、実践者のコーチングをしたりする日々の活動に追われて時間も十分にとれず、本を出すのは随分先の話だな、と思っていました。それに当時はコミュニティ・オーガナイジングの事例をわかりやすく紹介できるものは殆どアメリカのもので、そればかり紹介することになってしまうのも、自分の中で納得がいきませんでした。コミュニティ・オーガナイジングは日本にも昔からあり、人々が行ってきたことだからです。

COJを設立して四年経った頃、なぜ日本にいる人々は行動すること、変化を起こすための活動に参加することに消極的なのだろうと疑問が募った私は、市民参加や社会運動の研究が進んでいるアメリカに渡りました。幸運にもハーバード大学のウェザーヘッドセンター日米関係プログラムで、二〇一七年から二〇一九年の二年間、研究員として在籍することができました。プログラムの中で研究をし、日本研究をする教授たちからフィードバックを得るにつれて、本を書くことへの自信が出てきました。それと同時にＣＯＪの仲間たちが積み重ねてきた実績が、コミュニティ・オーガナイジングは日本社会に役立つ、というゆるぎない証拠を示してくれていることを、アメリカという少し離れた視点から見直すことで実感できたのです。そして二〇一八年後半から執筆を始めました。

執筆は思った以上に大変でした。頭の中に書きたいことはあるから、それを出すだけ、と思っていましたが、それが大変！　書き出してみると、たいしたことのないようにも見えて、自信を維持するのがまた大変でした。そんな中で、書きかけの原稿に対して、さまざまな友人がフィードバックをくれました。そのフィードバックを糧に、なんとか書ききることができました。

書ききった原稿を出版してくれる出版社を探したのが二〇一九年の夏です。正直、日本で社会運動に関する本を積極的に出したい、と言ってくれる会社があるのか不安でした。ただ、私はアメリカへの修士留学を英治出版の本を読んで思い立ったところもあったので、ぜひ英治出版から出したいと思っていました。ＣＯＪの仲間からの紹介で英治出版の高野達成さんにお会いしました。夏真っ盛りの暑い日でした。「日本では社会運動に否定的な見方が強いですよね」と言われ、やっぱりそう思うよね……と。でも続きがありました。「一般の市民が社会を変えるアクションは大事です。どうしたら日本の人たちが抵抗なく読めるものにできるか考えましょう」と。そして、かなり濃い意見交換をしました。ミーティングの最後に「日本に必要な本です。ぜひ出版しましょう」と固い約束を交わしたのです。帰り道、想いが叶ってしまうなんてと若干信じられない気持ちで歩いていました。

そこからの推敲作業がなかなか大変でした。ジャーナリストの下村健一さんは私の原稿がなまじ頭の固い人間が書いたようになっていることに猛烈にツッコミを入れてくださり、読みやすい文章になるように愛のあるアドバイスをくれました。そして、沢山のCOJの仲間たちは本への希望、期待を寄せて励ましてくれましたが、安谷屋貴子さん、荒川あゆみさん、荒川隆太朗さん、笠井茂樹さん、小松康則さん、皐奈都代さん、忠村佳代子さん、中嶌聡さん、松澤桂子さん、山本佑輔さんは原稿を読み込み、詳細かつ具体的なアドバイスをくれました。特に、忠村さん、中嶌さん、笠井さん、安谷屋さんは第八章で出てくるパブリック・ナラティブを一緒に作ってくれました。そして事例紹介を快諾し、原稿をチェックしてくれた実践者の方々、佐藤美代子さん、板垣泰之さん、大津真一さん、ビリーブ・キャンペーンのメンバーの大澤祥子さん、尾崎緑さん、鈴木萌さん、中野宏美さん、山本潤さんは、貴重な経験を共有してくださいました。この本で紹介するコミュニティ・オーガナイジングを体系化したマーシャル・ガンツ博士、実践経験を共有してくれたヨルダンのニスリーン・ハジアマドさん、セルビアのアナ・バボビッチさんにも多くの示唆や励ましをもらいました。

イラストレーターの川合翔子さんはコミュニティ・オーガナイジングを的確に理解し、私の想像を超えるイラストを提供してくださいました。英治出版の高野さんは、私やCOJメンバーからの尽きないコメントに一つ一つ丁寧に対応してくださり、より良い本にすることを最後まで目指してくださいました。

この本は私一人の力で書いたものではありません。多くの仲間たちがいたからこそ書けたものです。また、本を通して得た収入はＣＯＪに寄付される形になっています。みなさんが買ってくださった、そのアクションがすでに行動する人を応援することにつながっています。

この本を手に取り、購入し、読んでくださり、ありがとうございます。これからも共に、仲間と一緒に変えていける、という希望に満ちた社会へ、歩みを進めていきましょう。

鎌田華乃子

二〇二〇年九月

[著者]

鎌田 華乃子

Kanoko Kamata

特定非営利活動法人コミュニティ・オーガナイジング・ジャパン理事／共同創設者

神奈川県横浜市生まれ。子どもの頃から社会・環境問題に関心があったが、11 年間の会社員生活の中で人々の生活を良くするためには市民社会が重要であることを痛感しハーバード大学ケネディスクールに留学し Master in Public Administration（行政学修士）のプログラムを修了。卒業後ニューヨークにあるコミュニティ・オーガナイジング（CO）を実践する地域組織にて市民参加のさまざまな形を現場で学んだ後、2013 年 9 月に帰国。特定非営利活動法人コミュニティ・オーガナイジング・ジャパン（COJ）を 2014 年 1 月に仲間達と立ち上げ、ワークショップやコーチングを通じて、CO の実践を広める活動を全国で行っている。ジェンダー・性暴力防止の運動にも携わる。現在ピッツバーグ大学社会学部博士課程にて社会運動に人々がなぜ参加しないのか、何が参加を促すか研究を行っている。

[英治出版からのお知らせ]

本書に関するご意見・ご感想を E-mail（editor@eijipress.co.jp）で受け付けています。
また、英治出版ではメールマガジン、ブログ、ツイッターなどで新刊情報やイベント情報を配信しております。ぜひ一度、アクセスしてみてください。

メールマガジン　：会員登録はホームページにて
ブログ　：www.eijipress.co.jp/blog
ツイッター ID　：@eijipress
フェイスブック　：www.facebook.com/eijipress
Web メディア　：eijionline.com

コミュニティ・オーガナイジング
ほしい未来をみんなで創る５つのステップ

発行日　2020 年 11 月 25 日　第 1 版　第 1 刷

著者　鎌田華乃子（かまた・かのこ）
発行人　原田英治
発行　英治出版株式会社
〒150-0022 東京都渋谷区恵比寿南 1-9-12 ピトレスクビル 4F
電話　03-5773-0193　FAX　03-5773-0194
http://www.eijipress.co.jp/
プロデューサー　高野達成
スタッフ　藤竹賢一郎　山下智也　鈴木美穂　下田理　田中三枝
安村侑希子　平野貴裕　上村悠也　桑江リリー　石﨑優木
山本有子　渡邉吏佐子　中西さおり　関紀子　片山実咲
イラスト　川合翔子
校正　小林伸子
装丁　英治出版デザイン室
印刷・製本　中央精版印刷株式会社

ISBN978-4-86276-293-1　C0036　Printed in Japan